GEDOEMD TOT KWETSBAARHEID

Geert Mak

Gedoemd tot kwetsbaarheid

Uitgeverij Atlas – Amsterdam/Antwerpen

Een enkel fragment is eerder gepubliceerd in
NRC Handelsblad.

Eerste druk, februari 2005
Tweede druk, februari 2005
Derde druk, maart 2005

Omslagontwerp & typografie: Willem Geeraerds

ISBN 90 450 1382 7
D/2005/0108/522
NUR 323

www.boekenwereld.com

Voor Arwen

I

Hoe kunnen we deze geschiedenis ooit aan onze klein-
kinderen vertellen, het verhaal over die laatste maanden van 2004? Wat zullen we ons nog herinneren? Het
doorstoken lichaam in de Linnaeusstraat? De kelders
die opengingen? De almaar bewegende lippen van politici en intellectuelen? De stilte in de stad? De toon, de
nieuwe toon die opeens was gezet?

Waar moet ik beginnen? Met onze loeiende welvaart, met de kranten die juichten op de laatste dag
van het oude millennium: 'Het kan niet op'? Met het
gemopper op de politiek, het langzaam toenemende
onbehagen, steden die vervreemdden en verhardden?
Of met het gevoel van gevaar, de intense kou die plot-
seling ons huis binnendrong, op die 2de november
2004? Dijkdoorbraken, nazi's, Russen bij Doetinchem,
we hadden er eindeloos over gepraat en nagedacht.
Maar deze moordenaar, deze Mohammed B. en zijn
gedachtegoed vormden een volstrekt nieuw gevaar.
Het slachtoffer, aan de andere kant, kenden we maar
al te goed. Als stadgenoot, vijand, vriend, collega,

buurman, vader, dorpsgek, anti-semiet, schoft. Maar toch: die eenzame dode was onze dorpsgek, onze schoft.

De filmmaker Theo van Gogh lag die hele ochtend in zijn blauwe jackje dood te wezen, en nog maanden daarna, en in het hoofd en het hart van zijn meest nabije vrienden hield het nooit meer op. Het sectierapport sprak van zeven kogelwonden, twee steekwonden en in zijn keel 'ten minste twee klievingen tot aan de voorzijde halswervelkolom'. Hij kwam voort uit twee bekende Nederlandse kunstenaarsfamilies, de Van Goghs en de Wibauts, hij was een begenadigd interviewer, een gedreven filmer en een berucht auteur. Voor zijn films had hij een enthousiaste club vrienden en medewerkers om zich heen verzameld, en de laatste jaren scheen de zon over alles wat ze deden. Het was iedereen duidelijk dat we nog veel met Van Gogh mee zouden maken, dat volksfeest was nog maar net op gang.

Submission Part 1, de aanleiding voor het drama, viel daarbuiten. Hij had deze film gemaakt naar een scenario van Ayaan Hirsi Ali, een bevlogen en bijzondere vrouw die de burgeroorlog in Somalië en het religieuze geweld van Saudi-Arabië was ontvlucht en die zich in korte tijd had ontwikkeld tot een charismatisch parlementslid voor de liberale partij. Het was voor hem, zo hoorde ik later van zijn vrienden, weinig meer dan een corveeklusje geweest, een dagje draaien voor een geestverwant die zijn hulp nodig had. Zelf vond hij

8

het een zwaarmoedig geval, hij wilde er alleen nog een vervolg op maken 'als er wat te lachen zou zijn'. 'Submission Impossible', zo betitelden zijn naaste collega's het project.

De korte film was eerder een onderdeel van de andere kant van zijn karakter, een keerzijde die over het algemeen minder werd gewaardeerd. Theo van Gogh was de beminnelijkheid zelve als je hem in de stad tegenkwam, hij was warm en genereus, er was altijd wel iets om over te praten en je kon vreselijk met hem lachen. Maar er was ook iets raars met hem aan de hand: zodra hij achter een beeldscherm zat, kon hij veranderen in een tierend beest. Hij deed me altijd weer denken aan de vriendelijke schippersvrouw die jarenlang met haar scheepje tegenover mijn ouderlijk huis lag. Ze was klein en zwart van de armoede, soms maakte ze een gezellig praatje, en een enkele keer kregen we zelfs snoep van haar. Regelmatig kon ze echter uitbarsten als een vulkaan. Ze vloog dan opeens uit haar roefje, ze raasde met haar rode rokken over de kade, uit haar mond golfde een eindeloze stroom verwensingen en godslasteringen, haar hondjes renden keffend in het rond, en dat ging zo door totdat de veearts, de dominee, de procureur-generaal of een andere notabele overbuurman er een eind aan maakte.

Met zo'n afwijking leek Theo van Gogh ook te kampen. Aanvankelijk waren vooral joden zijn doelwit – een joodse schrijfster betichtte hij van 'vochtige dromen' over de Auschwitz-arts Mengele –, later richtte hij zich meer op socialisten en moslims. Over een toenmalige politicus van GroenLinks schreef hij: 'Mogen de cellen in zijn hoofd zich tot een juichende tumor vormen. Laat ons pissen op zijn graf.' De Amsterdamse burgemeester betitelde hij als 'een NSB'er van nature'. Moslims werden door hem bij voorkeur aangeduid als 'geitenneukers': op zijn website, die als een soort monument op internet bleef staan, kwam de term meer dan vijftig keer voor. In sommige gevallen achtervolgde hij zijn slachtoffers ook persoonlijk, met dreigbrieven en intimiderende telefoontjes. Maandelijks loofde hij 'de gouden tondeuse' uit voor de grootste 'landverrader'.

'Nederland brandt!' riepen sommige kranten de ochtend na de moord. De vice-premier liet zich, dankzij een doorzuigende radiojournalist, ontglippen dat het land 'in oorlog' verkeerde. De bladen namen de term direct met vette koppen over. Oorlog!

Zo was het in werkelijkheid natuurlijk niet. De meeste Nederlanders waren diep geschokt, maar het was vooral de politieke en journalistieke wereld die in vuur en vlam stond. Sommige politici en opinieleiders kwamen onder ongekend zware bewaking. Gezinnen moesten onderduiken. Op websites verscheen de ene doodsbedreiging na de andere. Vooral dissidente moslims waren het doelwit: 'Fuck Hirsi Ali Somalie / Dit is

Rico Chemicalie / Ik ben aan zet / Stuur een scudraket / Naar die kankerslet / Je bent goedkoper dan een Easy-jet / Ik sla je op je bek / Breek je nek / Doe's gewoon / Want ik weet in welk huis je woont / Ik snij je in tweeën / Dump je in één van de zeven zeeën.'

Iedereen was die eerste dagen in paniek. We rouwden, denk ik nu, ook om het verlies van onze onschuld – ja, dat mochten we niet zeggen, maar we dansten destijds werkelijk nog als haasjes in de maneschijn in vergelijking met de rest van de wereld – én om het definitieve einde van ons optimisme en het veilige, knusse Nederland dat daarbij hoorde. Daarna barstte het los.

In Madrid vielen op 11 maart 2004 bij een fundamentalistische aanslag bijna tweehonderd doden, maar de houding van pers en publieke opinie jegens de moslimbevolking bleef opvallend beschaafd. In Nederland gingen in de media en op de websites de kelders open, en de jarenlang opgespaarde vreemdelingenhaat – o, wat waren we altijd politiek correct geweest – spatte naar buiten. In Utrecht, IJsselstein, Groningen, Huizen, Breda, Rotterdam, Uden en Heerenveen werd brand gesticht bij islamitische gebedshuizen en scholen. Het antwoord kwam snel: aanslagen op kerken in Utrecht, Amersfoort, Boxmeer en Rotterdam. De wc-deur van mijn buurtcafé stond opeens volgekalkt: 'Neuk Allah in zijn bips!'

Voor veel buitenlandse journalisten was de reactie

van het 'nuchtere' en 'tolerante' Nederland schokken-
der dan de moord zelf. 'Er worden hier artikelen gepubliceerd die bij ons gegarandeerd tot een proces
wegens smaad of racisme zouden leiden,' hoorde ik
Britse, Franse en Amerikaanse collega's ettelijke malen
zeggen. Het Deense dagblad *Politiken* waarschuwde
voor het scenario van de Kristallnacht in 1938, toen de
moord op een Duitse ambassademedewerker in Parijs
door één verdwaasde Poolse jood aanleiding werd voor
een wilde jachtpartij op 'de' joden in het algemeen. Ver-
slaggever Craig S. Smith van *The New York Times* had
grote moeite om het befaamde g-woord in voor zijn le-
zers acceptabele termen te gieten: 'bestiality with a
goat'. De Nederlanders glimlachten. De wereldpers was
verbijsterd.

In de marge van deze turbulentie vond het ene gro-
teske incident na het andere plaats: Van Goghs vrienden, die rondom zijn lijkkist een groot begrafenisfeest
vierden, met vooraan twee opgezette geiten 'Voor wie
aandrang voelt'; de koningin, die te hulp geroepen
werd door uitgerekend de meest republikeinse partij
van het land; de twee jaar eerder vermoorde populistische leider Pim Fortuyn die gekozen werd tot grootste
Nederlander van, let wel, alle tijden; Anne Frank die,
in het kader van diezelfde televisieshow, opeens pos-
tuum het Nederlanderschap moest krijgen – iets waar-
over tot in de Tweede Kamer toe serieus werd gespro-
ken; Sinterklaas die met een kogelvrij vest zijn intocht

deed in Amsterdam; de Belgische premier die sprak van een 'dreigende burgeroorlog' in zijn buurland; de Amerikaanse legerleiding die Nederland tot 'gevaarlijk gebied' bestempelde; de Russische regering die Den Haag 'om opheldering' vroeg.

Ayaan Hirsi Ali had haar burgeroorlog terug. Theo van Gogh zijn klucht.

In de Amsterdamse straten, ook dat moet worden genoteerd, heerste een andere stemming. Een van onze kennissen, die op de bodem van de stad voor het welzijn werkt, maakte melding van een reeks incidenten: een Marokkaan had in een clubhuis, met de toiletdeur open, voor de ogen van de Nederlandse leidsters zitten poepen; er waren scheldpartijen geweest, over en weer; Marokkaanse vrouwen kwamen totaal overstuur op naailes, ze hadden pas veel later iets over de moord gehoord en dachten dat ze nu allemaal het land uitgezet zouden worden.

Toch lieten de gewone Amsterdammers, zowel gevestigden als nieuwkomers, zich niet intimideren, niet provoceren en niet gek maken. De meeste ouderen waren de woede en rancune al voorbij, een bozige fase waar een deel van de elite nu pas aan toekwam. Voor veel jongeren was de multi-etnische samenleving simpelweg een feit. Ze hadden Marokkaanse en Chinese collega's, zaten naast Turken, Surinamers en Somaliërs in de schoolbanken, hun leven had zich altijd al rond meerdere culturen afgespeeld, ze wisten niet anders. Twee verslaggeefsters van *Het Parool* liepen een dag lang zwaar gesluierd over straat. Ze werden een paar keer nagescholden, maar verder werden ze overal netjes en vriendelijk behandeld.

Een bekende uit de taxiwereld meldde in zijn kringen eerst grote woede, vervolgens een toenemende mildheid over 'die ouwe mensen' en 'die hoofddoekmeissies die zo vreselijk hun best doen', en al snel een hernieuwde acceptatie: 'Je kunt ze er niet meer uit gooien, we moeten ermee leven.'

Deze kennis was later die week maar eens op een groepje 'kakkerlakken' – Turkse en Marokkaanse collegachauffeurs – afgestapt om wat te praten: 'Ze waren zo blij als jonge honden.' Hij en veel van zijn stadgenoten gingen zo over tot een ritueel waar Nederlanders al eeuwenlang erg goed in zijn: ze begonnen te pacificeren. Van Gogh was, bij mijn weten, het eerste slachtoffer van een godsdienststrijd sinds de Martelaren van Gorcum (1572), en voor het behoud van die ruim vierhonderd jaar rust hadden de Nederlanders altijd erg hun best gedaan. In de koopmanssteden, waarmee het westen van Nederland al vanaf de Middeleeuwen was bezaaid, kon men zich immers geen felle religieuze geschillen veroorloven. Het zou desastreus zijn voor de handel als andersdenkende vreemdelingen – joden, moslims, protestanten, katholieken – ook maar enig risico zouden lopen om vervolgd te worden.

Al in de vijftiende eeuw, toen de Lage Landen ver-
scheurd werden door de ridderoorlog tussen de zogeheten Hoeken en Kabeljauwen, hield het Amsterdamse stadsbestuur met succes de vrede in stand door de
burgers simpelweg te verbieden om over de kwestie te
praten. Bij keur van 26 december 1481 werd het officieel strafbaar gesteld om tegen iemand te roepen: 'Ghy
syt een hoeck!' Of: 'Ghij syt een cabbeljau!' Voor steden
die in dit drassige land wilden overleven, stonden wa-
terstaat en koopmanschap altijd voorop: de meeste
Hollandse regenten hadden andere prioriteiten dan de
roep om de ware godsdienst.

In het zeventiende-eeuwse Amsterdam was, omwille van de lieve vrede, het gedogen en wegkijken
een onlosmakelijk deel van de bestuurspraktijk: hoewel de katholieke eredienst officieel was verboden,
schalde iedere zondag het gregoriaanse gezang over
de grachten. Het stadsbestuur hield, omwille van de
openbare orde, altijd grote hoeveelheden graan achter
de hand: in tijden van nood konden zo voedselrellen
worden voorkomen. In later eeuwen was de landsvre-
de verder verstevigd door de opdeling van de samenleving in christelijke, socialistische en andersoortige
'zuilen', door de opkomst van de verzorgingsstaat en –
onderschat het niet – de woning- en stadspolitiek,
waardoor het ontstaan van getto's bijna overal in het
land was voorkomen.

In de herfst van 2004 werden alle pacificatiemethodes van dit land opnieuw uit de kast getrokken. Het Amsterdamse stadsbestuur reageerde razendsnel, met oproepen, waarschuwingen, buurtregisseurs, talloze bijeenkomsten en wat er verder maar aan blusmiddelen voorhanden was. Overal speelden buurten, kerken en moslimorganisaties daarop in, met manifesten, stille tochten, preken en open dagen. In het Friese Lichtaard las de dominee teksten uit de koran. In Amersfoort opende de Raad van Kerken zestien telefonische hulplijnen voor wie 'boos, bang of bezorgd' was. Op de markt van Hengelo werd een menselijke ketting gevormd tegen de intolerantie. Winterswijkers organiseerden een boerenkoolmaaltijd – zonder spekjes – voor leden van alle geloofsgemeenschappen. In de kranten verschenen eind december paginagrote advertenties van de vakbonden en nog een stel grote organisaties, met een ferme Nederlandse leeuw en een ode aan de vrijheid, de vastberadenheid, de solidariteit, de barmhartigheid en de saamhorigheid: 'Nederland, niet kapot te krijgen.'

Opnieuw werd zo de grote succesformule van dit land toegepast, de beproefde manier waarmee we als kleine, godsdienstig fel verdeelde natie de eeuwen hadden weten te overleven. De nieuwe bijbelvertaling, die in diezelfde verwarde maanden verscheen, was hiervan een klein monument: eeuwenlang hadden de godgeleerden elkaar daarover de hersens ingeslagen, nu lag er één vertaling waarin de aanhangers van nagenoeg alle geloofsrichtingen enthousiast hadden samengewerkt, van oud-katholieken tot gereformeerde-bonders.

Zelfs die rare Theo van Gogh was wat dit betreft een typische Nederlander. Met al zijn getier over moslims maakte hij tegelijk een schitterende film over de liefde tussen kinderen uit twee culturen, *Najib en Julia*. Voor de hoofdrolspelers van zijn film *Cool!*, ex-draaideurcriminelen, sloofde hij zich uit om ze aan een nieuwe loopbaan te helpen. En geen andere regisseur gaf zoveel allochtone acteurs zoveel kansen.

In *The New York Times* stond in datzelfde najaar een reportage over de bijzondere manier waarop een Nederlandse luitenant-kolonel en zijn militairen in hun stukje van Irak de vrede handhaafden: in open voertuigen, zonder helmen en zonnebrillen, vriendelijk groetend, de wapens neer. De commandant had zelfs een budget voor kleine hulpprojectjes. Het was een typisch Nederlandse manier van pacificeren en hij was, althans in dit gedeelte van Irak, buitengewoon succesvol. Onder de manschappen waren twee slachtoffers gevallen, maar dat waren geïsoleerde incidenten geweest. De bevolking en de plaatselijke autoriteiten stonden aan de kant van de Nederlanders, en de luitenant-kolonel kon terecht volhouden dat zijn zachte aanpak uiteindelijk veiliger was dan alle machtsvertoon bij elkaar.

'Soft' was in dit soort situaties het tegendeel van laf. Voor het zonder helm patrouilleren in een Iraakse achterbuurt was heel wat meer moed nodig dan voor een beschut ritje in een dichte pantserwagen. Net zoals er flink wat dapperheid nodig was om in die novembermaand, ondanks de ernstige en reële bedreigingen, alomtegenwoordig te zijn als burgemeester of wethouder. Maar veel oog daarvoor bestond op dat moment nog niet.

II

'Als in een stad met honderdduizend inwoners slechts één man werkloos is, dan is dat zijn persoonlijke moeilijkheid, en om deze op te lossen doen we er goed aan 's mans karakter, zijn bekwaamheden en zijn directe kansen in ogenschouw te nemen. Maar als er op een bevolking van vijftig miljoen werknemers vijftien miljoen werkloos zijn, dan is dat een structureel vraagstuk, en dan mogen we niet verwachten de oplossing ervan te vinden binnen de reeks van kansen die er voor iemand persoonlijk aanwezig zijn.'

Het citaat is van de grote sociale theoreticus C. Wright Mills, die op deze manier een onderscheid probeerde te maken tussen 'public issues' en 'private troubles'. Ik was bij een discussiecollege aan de Universiteit van Amsterdam, en toen deze klassieke stelling opnieuw werd gelanceerd bleek die nog altijd toepasselijk te zijn op de situatie waar we die december-avond middenin zaten. Je kunt die stelling immers even zo goed omdraaien. Hadden we hier te maken met de 'private troubles' van Mohammed B. of met een 'public issue of the social structure' die heel Nederland aanging? Voor veel politici en opiniemakers was er geen twijfel mogelijk: dit was een structureel vraagstuk, en het had alles te maken met immigratie, islam en wat er verder maar mis was. Voor mijn partners in het debat was dat helemaal niet zo vanzelfsprekend.

Was deze moord het zoveelste symptoom van de moeizaam verlopende integratie van de Noord-Afrikaanse immigranten in Nederland, zoals velen die weken van de daken riepen? We geloofden er niets van. Al zou het integratieproces van de Marokkaanse bevolking volmaakt zijn verlopen, dan nog was de kans groot geweest dat op een kwade dag een Mohammed B. zou zijn opgestaan. Ook de soepele integratie van de tienduizenden repatrianten uit Indonesië in de jaren vijftig had niet kunnen voorkomen dat een groepje Molukse jongeren twintig jaar later een paar bloedige gijzelingsacties op touw zette.

Ja, er was flink wat misgelopen, met name rond bepaalde groepen Marokkanen. Ja, er waren spanningen rond criminele jongeren, problemen rond de positie van de vrouw, invloeden van bepaalde moskeeën, we wisten er alles van. Er was analfabetisme, geweld, radicalisme, en op sommige scholen zonk de moed je bijna in de schoenen. Maar uiteindelijk – alle cijfers over de langere termijn wezen hierop – ging het bij dit alles slechts om een klein deel van de immigranten. Met de overgrote meerderheid ging het redelijk, goed en soms zelfs, bijvoorbeeld bij Marokkaanse meisjes, zeer goed.

De combinatie van al die nieuwe culturen bracht bovendien een heel eigen dynamiek teweeg. Er zaten die avond zo'n zestig studenten in de collegezaal: doorsnee Amsterdamse jongens en meisjes, Marokkaanse studentes met en zonder hoofddoekje, een Afrikaans meisje, een paar fel debatterende liberale jongeren, een handvol Irakezen, Turkse jongens met bijna antieke gezichten. Hun ogen: geconcentreerd, helder. Hun vragen: zonder uitzondering slim, doordacht, raak. Hun docenten kwam je zelden of nooit tegen in het praatcircuit. Het waren vaak stille mensen, onderzoekers van internationale faam die alles wisten van integratieprocessen, die al jarenlang de aanpassing van moslims aan de Nederlandse cultuur hadden gevolgd, die enquêteerden, websites volgden en statistieken analyseerden.

Ja, dit bestond ook nog allemaal in Nederland, al moest je er op dat moment naar zoeken. Dit waren de werkelijke specialisten, en dat was een volstrekt ander circuit dan de paar goedgebekte deskundigen die dagelijks over het scherm paradeerden. Hier werd intens geluisterd en nagedacht, hier werden ervaringen uitgewisseld en onderzoeksresultaten vergeleken, hier bestond een vanzelfsprekend respect voor de opponent, hier werd nooit en nimmer op de man gespeeld. Hier vond, kortom, de genuanceerde discussie plaats zoals die in ieder fatsoenlijk land tijdens een dergelijke crisis tussen intellectuelen hoort plaats te vinden, een vorm van beschaving die een deel van Nederland op een of andere manier was kwijtgeraakt.

Er was nog iets wat me die winteravond opviel: van al deze wetenschappelijke kennis drong nauwelijks meer iets door tot de reguliere politiek en de massamedia. Neem de cijfers, de simpele cijfers van de veiligheidsdienst AIVD, het Sociaal en Cultureel Planbureau en nog zo wat bronnen. In Nederland woonden eind 2004 zo'n negenhonderdduizend moslims, in overgrote meerderheid van Turkse of Marokkaanse komaf. De verschillen tussen alleen al die groepen waren immens. De Turkse immigrantenwereld was bijvoorbeeld redelijk homogeen. De Marokkaanse gemeenschap was veel meer verbrokkeld, met allerlei rivaliteiten en nauwelijks of geen duidelijke leiders.

Van al deze Nederlandse 'moslims' zag op zijn hoogst twintig procent regelmatig een moskee van binnen. De meesten kenden de islam alleen maar uit de verte, zelden of nooit hadden ze een gebedshuis bezocht. Wel had de islam voor een zeer groot aantal Turken en voor bijna alle Marokkanen een grote persoonlijke betekenis. Bovendien begonnen sommige ouderen juist tijdens hun verblijf in Nederland de moskee te bezoeken, wellicht om weer een zekere structuur te vinden in het leven. Onder invloed van de Nederlandse samenleving seculariseerde het geloof van de meeste moslims dus niet, maar het privatiseerde: men schiep een persoonlijke islam, die modern en tolerant kon zijn, maar ook radicaal en fundamentalistisch. Steeds meer jongeren scharrelden bovendien hun eigen geloofsopvattingen bij elkaar op internet. Die laatste groep, zo waarschuwden onderzoekers, kon juist door het toenemende isolement wel eens groter worden. Een moderne levensstijl en een eigenzinnige, ultra-orthodoxe geloofsbeleving, ze hoefden elkaar niet meer uit te sluiten.

De meeste praktiserende moslims waren net zo bang voor de gevolgen van de moord op Van Gogh als de andere Nederlanders, banger nog zelfs. Veel ouderen waren van boerenkomaf, net als hun geestelijk leiders, en hun geloofsbeleving had niet zelden de rechtlijnigheid van zware Veluwse protestanten. De mannen leefden enkel in de kleine wereld van koffiehuis en moskee, alsof Nederland niet bestond. Toen het bestuur van de Marokkaanse moskeevereniging in Amsterdam na de moord op Van Gogh een vergadering belegde, bleek geen van de aanwezigen ooit van *Submission* te hebben gehoord, de naam Van Gogh was niet of nauwelijks bekend, en niemand had enig idee wat de consequenties van deze schietpartij zouden kunnen zijn. Toch kon slechts één op de twintig Nederlandse moslims als conservatief bestempeld worden, en slechts een fractie dáárvan, zo'n vijfduizend gelovigen, volgde de leer van fundamentalistische en/of radicale leiders, en ook van deze groep wees de overgrote meerderheid geweld af.

Uiteindelijk bleven, volgens redelijk betrouwbare schattingen, zo'n honderd à tweehonderd moslims over – alleen onder jongeren, alleen onder Marokkanen – die er gewelddadige politieke en/of religieuze opvattingen op na hielden. Dit waren jongelui die pleitten voor een gewapende jihad, die in contact stonden met buitenlandse geestverwanten, soms trainingen hadden gevolgd, kortom, gevaarlijk waren.

Het waren er honderd à tweehonderd te veel, het gaf veiligheidsproblemen, er bestond kans dat de groep groter zou worden als de uitsluiting en het racisme in Nederland verder zouden toenemen, er moest absoluut een antwoord op dit ingewikkelde probleem gevonden worden, maar toch: de werkelijke problemen lagen bij 0,04 procent van de moslimpopulatie.

Mohammed B. was de personificatie van die 0,04 procent. Sommigen beschreven hem als een 'born again moslim', en ik denk dat daar veel in zit. Hij was typisch iemand die was losgeraakt van de traditionele kaders van de islam en die, met een handvol medestanders, een eigen, individuele, 'geprivatiseerde' islam om zich heen had geschapen. Jarenlang gold hij als een voorbeeldig geïntegreerde jongere, afkomstig uit een keurig gezin waar de familieleden altijd al Nederlands spraken. Zijn vader was, in de woorden

van een kennis van de familie, 'zo'n typische Marokkaan van de eerste generatie die zijn gewrichten stuk
heeft gewerkt'. Mohammed maakte de havo af, ging
bedrijfsinformatica studeren, was actief in het buurt-
centrum in Amsterdam-Slotervaart. De Marokkaanse
sociologe Fatima Mernissi, die vlak na de moord op
Van Gogh in Amsterdam langskwam om de Erasmus-
prijs in ontvangst te nemen, suggereerde zelfs dat Mohammed B. wellicht eerder een product van de moderne Nederlandse samenleving was dan van de traditionele islam: hoe kon het anders zover komen dat een
jongeman zo verstrikt raakte in eenzaamheid en verwarring?

Mohammed B. en zijn geestverwanten maakten
echter tegelijk deel uit van een internationaal netwerk
dat beschikte over de mankracht, het fanatisme en de
organisatie om over heel Europa aanslag na aanslag te
plegen. Het risico dat daarbij op een rampzalig moment ook een 'vuile' of 'radiologische' bom gebruikt
zou worden, was niet gering. Zo'n bom, gemaakt van
sterk radioactief afval, zou met een klassieke explosie
een grote hoeveelheid straling kunnen verspreiden en
een gebied voor lange tijd onbewoonbaar maken.
Daarnaast circuleerden nog altijd enkele tientallen
'zoekgeraakte' atoombommen uit de voormalige Sov-
jet-Unie over de wereld. Over de kans dat zich voor het
einde van het decennium ergens in Europa of de Verenigde Staten zo'n nachtmerriescenario zou voltrek-

ken liepen de meningen onder de specialisten uiteen: de pessimisten dachten aan zo'n zestig procent, de optimisten hielden het op veertig.

Dat waren de werkelijke gevaren waaraan we blootstonden, ze waren nog veel ernstiger dan de meeste mensen zich realiseerden, maar ze hadden natuurlijk niets te maken met 'de' moslims, 'de' moskeeen, 'de' imams, 'de' immigranten. De moord op Van Gogh was in dat licht niet meer dan een kleine demonstratie, een voorafje van wat kon komen. Het netwerk liet even zien hoe het ook in Nederland actief kon zijn: de aanslag was volgens het boekje voorbereid, de instructies waren wellicht zelfs gegeven door buitenlandse aanvoerders.

Mohammed B. en zijn medestrijders waren geen simpele islamisten. Ze maakten deel uit van een veel grotere groep, de kinderen van de schotelantennes, van Al Jazeera en Arabia TV. Dat betekende ook dat de bron van hun intense woede vooral op een bovennationaal niveau lag: het lijden van de Palestijnen en Tsjetsjenen, de tienduizenden doden en honderdduizenden ontheemden in Irak waaraan de westerse media nauwelijks aandacht schonken, het materialisme en de soms blinde arrogantie van de westerse cultuur, de ontwrichting, de vernederingen die moslims – ook in Nederland – ondergingen.

We konden ons geen vage praatjes meer veroorloven: dit gevaar was nieuw, en van een geheel andere orde dan de integratieproblemen die Nederland eerder kende. Het was die woede waarop we een antwoord moesten zoeken. Ook in Parijs of Madrid had een Theo van Gogh gekeeld op straat kunnen liggen. En ook in Utrecht hadden vier treinen tegelijk kunnen ontploffen.

III

Hadden we dit alles kunnen voorzien? Sommige dingen wel. Ik was begin jaren negentig een poosje stadsredacteur van *NRC Handelsblad*. Toen ik voor het eerst de rol van de rechtbank onder ogen kreeg, schrok ik me wezenloos: de lijst stond vol met jeugdige Ali's en Ahmeds. De politie en de veiligheidsdiensten kwamen met zorgelijke rapporten over bepaalde groepen jongeren. Blijf-van-mijn-lijfhuizen vulden zich met allochtone vrouwen. Er was een massale immigratie aan de gang, met alle problemen van dien, terwijl het officiële beleid datzelfde feit tot halverwege de jaren negentig maar bleef ontkennen.

Op buurt- en stadsniveau signaleerden bestuurders, politici, journalisten, leraren, welzijnswerkers en andere direct betrokkenen vanaf het midden van de jaren tachtig ernstige problemen: het onderwijs was volstrekt niet ingesteld op grote groepen nieuwkomers uit primitieve plattelandsculturen; met de mogelijkheden om Nederlands te leren was het allerbedroevendst gesteld; het buurt- en clubhuiswerk, dat een centrale rol bij de integratie had kunnen spelen, werd net in die tijd vakkundig wegbezuinigd.

Wij zagen de gevolgen voor ons: buurtrellen, toenemende spanningen tussen arme gevestigden en arme nieuwkomers, ten slotte toch ook gettovorming. Maar nooit had iemand kunnen voorspellen dat Nederland, met de rest van West-Europa, opeens ook nog eens het laboratorium zou worden van een mondiaal probleem, van een conflict dat uiteindelijk bínnen de islam uitgevochten moest worden, van de vraag hoe zo'n traditionele wereldgodsdienst moest omgaan met secularisering, globalisering, individuele vrijheid, vrouwenrechten en alles wat er verder bij een moderne samenleving hoort.

Het moet omstreeks 1985 zijn geweest, dat een collega en ik op een reportagereis in Maleisië geconfronteerd werden met een ongekend verschijnsel. Op de studentencampus van Kuala Lumpur liep zeker een derde van de jongens en meisjes opeens met een baard en hoofddoekje, dezelfde jongens en meisjes die twee jaar eerder in demonstraties nog volop leuzen riepen en met rode vlaggen zwaaiden, die Engelse literatuur studeerden en vrolijk rondscheurden op kleine bromfietsjes, die net zo modern waren als wijzelf en die zich ineens toch hadden overgegeven aan de islam in zijn meest traditionele vorm. Ze waren teleurgesteld in het Westen, zeiden ze. Ze hadden troost gevonden in de waarden van hun oude dorp, hun oude godsdienst.

Het was een interessante tegenbeweging, maar in onze ogen was het verder iets wat zich afspeelde in snel moderniserende islamitische landen. Geen seconde beseften we dat vijftien jaar later ook Europa geconfronteerd zou worden met dit verschijnsel.

'Occidentalisme' noemden de Brits/Nederlandse publicist Ian Buruma en Israëlische sociaal-filosoof Avishai Margalit deze toenemende weerzin tegen de westerse cultuur, een weerzin die bij sommige radicalen zelfs was uitgemond in een directe oorlogsverklaring. Beide auteurs spraken over een 'keten van vijandigheid': vijandigheid jegens de arrogante, gulzige en decadente stad, jegens het frivole kosmopolitisme, jegens de wetenschap en de ratio, jegens de verwoestende veroveringsdrift van het westerse kapitaal, jegens de gevestigde bourgeoisie, jegens de ongelovige die moest worden verpletterd om te komen tot een wereld van zuiver geloof. Het enige zuiverende antwoord was, in de leer van dit occidentalisme, de revolutionaire held, die zichzelf opoffert. In het denken van sommige fundamentalisten was de westerse secularisering geen godsdienstig probleem meer van de westerlingen alleen, maar een vorm van afgodendienst die de hele islam bedreigde. Met een afgod die op het punt stond de enige ware Allah te vervangen, en die daarom met wortel en tak moest worden uitgeroeid. Iedereen buiten de gemeenschap van de islam was, in die visie, in principe een vijand.

De studie van Buruma en Margalit was, interessant genoeg, niet het zoveelste verslag van 'onze beschaving' die 'in oorlog' zou zijn met de 'barbaren'. Integendeel, het was juist een verhaal over de wisselwerking tussen de verschillende godsdiensten en culturen. Het ging over de Duits-romantische ideologie van de 'puurheid' en 'heroïek', hoe die doorwerkte in het islamitische fundamentalisme en als het ware weer terugkaatste in het gedachtegoed van Mohammed B. Het ging, in wezen, over de gemakkelijke verspreiding van nostalgische dromen, over karikaturen van mensen en samenlevingen, over haat en valse heroïek. En, waarschuwden de auteurs, 'dat kan ons opnieuw overkomen als we zwichten voor de verleiding om vuur met vuur te bestrijden, door het islamisme met onze eigen vormen van intolerantie te bestrijden'.

De basis van het radicalisme van een van de meest invloedrijke islamitische denkers, de Egyptenaar Sayyid Qutb, werd gelegd tijdens zijn verblijf in New York, een 'enorme werkplaats' vol materialisme, verleiding en sensualiteit, een chaos waarin zelfs de duiven zich ongelukkig voelen. Tegen die hoererij van Babylon verdedigde hij de pure, islamitische gemeenschap. Zijn opvattingen over de 'bezoedelde' stad en het 'zuivere' platteland vonden talloze aanhangers omdat ze een ander, mondiaal probleem raakten. Er was namelijk één historische grondstroom die de wereld rond de millenniumwisseling boven alles domineerde: de massamigratie van platteland naar stad.

In 1960 woonde twee derde van de wereldbevolking in boerengemeenschappen, in 2020 zou twee derde in een stad leven. Deze verschuiving had even ingrijpende gevolgen als de historische omslag van de jagende mens naar de sedentaire mens, zo'n twaalfduizend jaar geleden. Het betekende een diepe breuk in tradities en leefstijlen, een ontworteling waarvan de omvang en de gevolgen nog niet vielen te overzien. De effecten van deze mondiale cultuurbreuk waren in 2004 overal zichtbaar: in immigranten die zich als koppige boeren vastklampten aan dorpstaal en dorpsgewoonten, in imams die als dorpspriesters weigerden vrouwen de hand te drukken, in het vasthouden aan boerentradities rond huwelijk en vrouwenplichten. Veel moslims probeerden oude zekerheden te hervinden in een religieus fundamentalisme. Zoals trouwens ook overal, met name in de Verenigde Staten, fundamentalistische christenen in hun strijd tegen het secularisme een nieuw elan ontwikkelden.

Misschien moet ik me scherper uitdrukken, als ik denk aan het internet en de schotelantennes van de ultra-traditionele Mohammed B.: het radicale fundamentalisme was niet alleen een reactie op moderniteit, het was er tegelijk ook een product van. Zonder de problemen van de moderniteit was er nooit een Mohammed B. opgestaan, maar zonder de mogelijkheden van de moderniteit was hij er ook nooit geweest.

West-Europa werd zo opnieuw geconfronteerd met een conflict dat Napoleon, met het gewelddadig opleggen van de scheiding tussen kerk en staat, al grotendeels uit de wereld had geholpen. En de restanten van deze kwestie waren, naar het idee van de meeste Europeanen, door hun grootouders en overgrootouders uitgevochten en begraven. Maar nu zette de immigratie van miljoenen moslims die oude zaken van geloof en ongeloof weer op scherp. Het ging daarbij om een fundamenteel waardenconflict: alleen al het ontbreken van een hiernamaals maakte het levensperspectief van seculieren volstrekt anders dan dat van religieuzen.

Veel Europeanen maakten zich hier grote zorgen over. Zo werden immers de grondwaarden van het seculiere humanisme, die sinds de Verlichting in de West-Europese politiek de overhand hadden, weer op de tocht gezet. Het was een tegenstelling die, gedeeltelijk, ook de verwarring in het Nederlandse publieke debat verklaarde. Het ging immers niet meer om links tegenover rechts, of om humanisten tegenover fundamentalisten, het ging opeens ook weer om seculieren tegenover gelovigen. Na jarenlange vanzelfsprekendheid werden opnieuw seculiere dogma's ter discussie gesteld; zo vlamde in de Tweede Kamer zelfs een

uitermate fel debatje op over het fenomeen godslaste-
ring. Zoals eerder in Groot-Brittannië ontstonden
nieuwe en opvallende coalities, met name tussen moslims, christenen en joden: samenwerkingsverbanden
tussen kerken en moskeeën, joodse leiders die het op-
namen voor de moslimgemeenschap, politici van verschillende signatuur die elkaar opeens rond morele en
religieuze kwesties vonden. Tegelijkertijd groeide ook
binnen de seculiere groeperingen het bewustzijn dat,
net als in de Verenigde Staten, vragen rond ethiek en
moraal de agenda wel weer eens sterk zouden kunnen
gaan bepalen, en dat daarop eigen antwoorden moesten worden geformuleerd.

In *Trouw* schreef Hans Goslinga bitter over de ver-
liezers van de culturele revolutie van de jaren zestig,
de gelovige 'achterblijvers', wier tradities en ethiek
waren afgedaan als 'kleinburgerlijk' of 'folklore'.
Nooit waren er rondom deze campagne van 'alles
moest kunnen' momenten van reflectie geweest. 'Ik
vraag me af,' schreef Goslinga, 'of ooit tot de naoorlog-
se generatie is doorgedrongen hoe scherp en pijnlijk
deze cultuurbreuk is geweest.' Plotsklaps werden zulke geluiden overal weer gehoord: hadden we, tijdens
het gehol en gedans van de afgelopen decennia, niet
een paar essentiële stukjes van onszelf verloren?

IV

De Nederlanders zijn eeuwige burgers, schreef de
grote historicus Johan Huizinga in zijn klassieke
schets 'Nederlands geestesmerk' (1934), 'van de nota-
ris tot de dichter en van de baron tot de proletariër'.
Onze burgerlijke samenleving verklaarde, in zijn
ogen, de 'geringe vatbaarheid voor het holle woord' en
'de geringe oproerigheid der volksklassen, en in het
algemeen de effenheid van het nationale leven, die
maar licht rimpelde onder de wind der grote geestes-
beroeringen'. Als er één ding was waarop Nederland
trots zou mogen zijn, dan was het de manier waarop
het land de geest van de drie verschillende cultuur-
kringen waarbinnen het geklemd was, de Duitse,
Franse en Britse, zo gelijkmatig wist te verwerken en
zo nauwkeurig wist te verstaan. 'Het is een kostbare
weelde, die wij ons kunnen veroorloven, dat begrip
voor, die erkenning van het vreemde.'

Van al deze bedaardheid was zeventig jaar later
weinig meer over. Althans, ogenschijnlijk. Natuurlijk,
ook Huizinga schetste een ideaalbeeld. De Nederlan-

ders waren in werkelijkheid helemaal niet zo 'gelijk-matig' als hij beweerde. Periodes van rust en orde waren altijd afgewisseld met uitbarstingen van hevige publieke emoties. Toen in het midden van de negentiende eeuw de katholieken in dit land opnieuw hun kerkelijk gezag wilden vestigen, toen in de jaren dertig op een kruiser muiterij uitbrak onder Indische matrozen die op hun soldij gekort waren, toen in de jaren zestig de toenmalige kroonprinses met een Duitse diplomaat wilde trouwen, toen in de jaren tachtig een vermeend anti-semitisch toneelstuk dreigde te worden opgevoerd, altijd was de wereld te klein, en altijd werd zo'n kwestie na een poosje ook weer beschaamd op zolder weggezet. Het herstellend vermogen was groot.

De befaamde Nederlandse verdraagzaamheid had, zoals eerder gezegd, weinig met allerlei mooie Verlichtingstheorieën te maken, maar alles met de praktische behoeften van de koopmanssteden. Vooral in de zestiende eeuw, toen overal nieuwe protestantse richtingen opdoken, werd op allerlei manieren geëxperimenteerd met pacificatiemethodes. Nederland kende nog nauwelijks een centrale overheid, en veel steden losten het probleem van de religieuze verdeeldheid aanvankelijk zelf op via een strikt vreemdelingen- en veiligheidsbeleid. In het kader van een soort 'religious cleansing' werd iedereen die religieus of anderszins verdacht was de stad uit gestuurd. Protestantse steden stootten zo hun katholieken uit, katholieke steden lieten de protestanten vertrekken. De economische gevolgen waren rampzalig.

Latere generaties kozen voor een politiek van 'godsdienstvrede' of tolerantie om de stad bijeen te houden. Deze pacificatiemethode, waarbij veel werd gedoogd en waarbij het zaaien van haat en onrust scherp werd bestreden, bleek in de open immigrantensteden veel succesvoller. Er was wel een ondergrens die nooit overschreden mocht worden: de cultuur van de tolerante koopmansstad als geheel werd ongenadig fel verdedigd. De wederdopers, een sekte die in 1535 in Amsterdam de macht wilde overnemen, werden bij tientallen afgemaakt en daarna op het galgenveld opgehangen, 'met de voeten opwaerts gelijck honden'.

De eerste novemberweken van 2004 overheerste het gevoel dat deze ondergrens opnieuw was geschonden. Dat was alleszins begrijpelijk. De moord op Van Gogh was immers meer dan enkel een gruwelijk incident. Het was een combinatie van een drietal explosieve elementen: extreem religieus geweld, een zeer gecompliceerde publieke figuur, plus nog eens een religieus beladen filmpje vol dubbele boodschappen. Maar na de eerste reacties leek het wel of de spraakmakende elite niets anders meer had om op terug te vallen. Wie in die weken de media volgde, zag een land dat leek losgeslagen van internationale banden, losgeslagen ook van alle historische wortels, enkel nog op zichzelf geconcentreerd.

Toen in het najaar van 1940 Londen systematisch werd gebombardeerd en er iedere nacht honderden doden vielen – 'Elke ochtend was je blij als je je vrienden weer zag verschijnen,' schreef de diplomaat Harold Nicolson –, hielden de Britten met ijzeren discipline vast aan hun dagelijkse bezigheden: ze lieten zich door deze terreur volstrekt niet van de wijs brengen, ze wisten wat ze samen waard waren, en daar handelden ze naar. In Israël bleef, tijdens de zelfmoordaanslagen een halve eeuw later, de bevolking met dezelfde trotse vastberadenheid cafés en bussen betreden, al was het soms riskant. De Madrilenen hernamen na de treinaanslagen met waardigheid het leven weer op. De meeste Nederlanders deden na 2 november hetzelfde, ze wilden en konden ook niet anders, maar in de politiek en de media gebeurde iets anders. Hier begon een handel in angst, sterker nog, er ontstond bijna een verslaving aan angst.

Het ging daarbij niet om de reactie op het duidelijk aanwezige gevaar, die ontbrak opvallend genoeg juist vaak. Er werd bijvoorbeeld nauwelijks gepraat over het te lage budget van de veiligheidsdiensten, of over de nog altijd rampzalige samenwerking tussen politiekorpsen en inlichtingendiensten, of over het gigantische gebrek aan goede tolken en vertalers, of over mogelijkheden om via infiltranten of anderszins greep te krijgen op de kleine ultra-radicale groepen. Alles draaide bovenal om de angst. Angst leek het centrale element in het Nederlandse wereldbeeld te worden.

De ingewikkelde situatie waarin we ons bevonden, werd voortdurend teruggebracht tot slogans, paniek en halve waarheden. De fractieleider van de liberalen, die iedere maand zijn aanhang verder zag afkalven, beschreef op het partijcongres Nederland als een 'oord van valse tolerantie, gemakzucht, hypocrisie en lafheid'. Zijn pleidooi voor het terugwinnen van 'gezag' en voor een 'meedogenloze aanpak' kreeg een staande ovatie. De leider van de sociaal-democraten voorspelde een nieuwe kiezersopstand en sloot een toekomstige regering met de rechts-nationalen niet uit. Terloops plantte hij alvast het mes in de rug van de burgemeester van Amsterdam, een partijgenoot, die de problemen niet hard genoeg zou hebben aangepakt.

De voor sommigen bittere noodzaak tot bewaking – een tiental opiniemakers en publieke figuren werd op radicale moslimwebsites serieus bedreigd – werd in de ogen van enkele anderen een soort statussymbool. De voorzitter van de voormalige Fortuynpartij schreef dreigbrieven aan zijn eigen partij en aan zichzelf. Het weekblad *HP/De Tijd*, dat de immigratieproblematiek al jaren met een frisse kijk benaderde, opperde de mogelijkheid om met 'razzia's in schotelantennebuurten' minimaal vijftigduizend moslimimmigranten op te pakken. Hetzelfde blad legde ook op weinig subtiele wijze verbanden met de jodenvervolging uit de Tweede Wereldoorlog: bepaalde joodse politici zouden eraan meegewerkt hebben om 'zoveel mogelijk minderheden binnen te halen' om zo de kans te verkleinen 'dat de joden weer een keer de klos worden'.

De centrale figuur in de discussie, Ayaan Hirsi Ali, hulde zich ondertussen in een volstrekt zwijgen. Ze was ernstig bedreigd – het briefje dat Van Goghs moordenaar op het lichaam had achtergelaten, was voornamelijk tot haar gericht – en ze had zelfs enige tijd in het buitenland moeten onderduiken. Aanvankelijk wilde ze haar werk in de Kamer dan ook niet hervatten, een begrijpelijke reactie, na alles wat er gebeurd was.

Onbedoeld werd haar afwezigheid echter een manifestatie op zich. Rondom het kamerlid ontstond een aura van martelaarschap, een mantel die haar bijna onaantastbaar maakte. Een van de omroepen maakte een reconstructie van een diner met haar welgezinde intellectuelen, vlak na de aanslag op Van Gogh. De titel: *Laatste avondmaal*. Iedere inhoudelijke discussie over haar opvattingen werd zo in de praktijk vrijwel geblokkeerd. En daar ging het ook niet om. Het ging om het gevoel, de vrees voor het andere, de saamhorigheid daartegenover.

De publieke televisie, die in andere landen tijdens dergelijke crises vaak een stabiliserende rol vervult, koos in Nederland voor het tegenovergestelde. In de hevige concurrentiestrijd met de commerciëlen telde ieder punt van de kijkcijfers. Dat betekende dat kijkers tot alle prijs moesten worden vastgehouden met emotie en adrenaline. Wetenschappers, onderzoekers, de internationale specialisten op het gebied van islam en immigratie, filosofen die zich werkelijk verdiept hadden in de Verlichting, slechts een enkele keer zag ik ze opduiken. Kans om rustig hun standpunt uiteen te zetten kregen ze zelden, bijna altijd werd een figuur gezocht, deskundig of niet, met een tegenovergesteld standpunt 'om het debat te verlevendigen'. In Parijs wemelt het van de Marokkaanse intellectuelen die waarschijnlijk heel verstandige dingen hadden kunnen zeggen. Ik heb geen van hen gehoord of gezien. In plaats daarvan verschenen dag na dag de meest curieuze figuren op het scherm, met als toppunt een mallotige Brabander die als 'imam' en 'woordvoerder van de islam' werd gekenschetst. De jongeman verklaarde dat hij de rechts-nationale voorman graag dood zag, niet door de hand van een moslim maar, na enig trekken door de interviewer, 'liever door kanker'. De volgende dag smeten de ochtendbladen de verwensing met grote koppen op straat; dat Theo van Gogh zijn tegenstanders exact hetzelfde had toegewenst, was iedereen allang vergeten. Op de website van de omroep werd de 'landverraderlijke' Brabander een nekschot toegewenst.

'Je moet een samenleving vullen met emotie,' riep

de liberale fractieleider, en hij werd op zijn wenken bediend. Het moeizame zoeken naar de waarheid telde nauwelijks meer, alles draaide om het opwekken van grootse gevoelens. Meningen gingen de plaats innemen van feiten en op sommige websites werd deze journalistieke houding zelfs nadrukkelijk bepleit als een 'interessant experiment'. Het gevolg was dat steeds meer kijkers in een schijnwerkelijkheid leefden, een droombestaan dat niet werd gecorrigeerd maar toegejuicht. Als de publieke televisie – de goede uitzonderingen daargelaten – ten doel had het volk in een staat van verwilderde dommigheid te houden, dan gebeurde dat in het najaar van 2004 heel knap.

Veel toonaangevende politici, misschien wel de meeste, faalden in deze cruciale maanden. Zij zetten niet de toon voor het debat, zij grepen niet direct in toen het uit de rails liep, zij ontliepen hun verantwoordelijkheid als mederegisseurs van de publieke discussie. Van te veel publieke figuren hoorden we, toen het erom ging, helemaal niets. Tot de weinigen die deden wat ze moesten doen – zulke dingen worden te snel vergeten – hoorden de minister van Justitie en diezelfde Amsterdamse burgemeester. De burgemeester deed, samen met zijn Marokkaanse wethouder, alles wat nodig was om 'de boel bij elkaar te houden', probeerde de schade die zijn paniekerige Haagse collega-politici dag na dag aanrichtten zoveel mogelijk te beperken en was in alle opzichten een voorbeeld van rust en burgermoed. De minister van Justitie bleef al die maanden kalm op zijn gereformeerde herenrijwiel van het departement naar huis pendelen. 'Als je onder invloed van een mogelijke dreiging je hele leven bij gaat stellen, dan heeft die bedreiging eigenlijk al op voorhand gewonnen,' zei hij. 'Dat weiger ik.' 'Maar stel dat iemand een aanslag pleegt?' vroegen verontruste journalisten. 'Dan zal er onmiddellijk een andere minister van Justitie aantreden.' Met de Staat der Nederlanden was in elk geval niets mis.

Het drietal werd, zo was toen de stemming, voortdurend aangevallen door de handelaren in angst. Slechts weinigen namen het voor hen op.

Wie had ons ooit gegarandeerd dat we hier voor altijd veilig en conflictloos zouden leven, een eiland van rust in een rampzalige wereld? En wat heeft ons doen denken dat alles in dit land altijd gratis zou zijn: de vrijheid, de welvaart, de veiligheid, het geloof, de idealen die we nog hadden?

Ik weet nog altijd niet precies wat er die maanden met sommige Nederlanders aan de hand was. Het kon te maken hebben met het feit dat ze nooit werkelijk beproefd waren, in tegenstelling tot bijvoorbeeld de Spanjaarden en Italianen die al jaren hadden moeten leven met bedreigde politici, en de Fransen die al een eeuw lang ervaring hadden met omvangrijke populistisch-rechtse groeperingen. Maar het kon ook zijn dat deze angstgolf voortkwam uit een diepe instabiliteit in de Nederlandse samenleving zelf.

Ik herinner me dat ik tien jaar eerder was gestuit op een bozige bitterheid die ik nog niet eerder bij zoveel Nederlanders had meegemaakt, op de leemte die nadien het politieke debat steeds meer zou bepalen. Bij de verkiezingen van 1994 was in de Amsterdamse wijk Betondorp, vanouds een 'rode' buurt, opeens een vijfde van de kiezers overgelopen naar extreem-rechts. Dat was een symbolisch moment, want Betondorp was jarenlang de bouwplaat voor de ideale maatschappij van de toekomst: sobere maar eerlijke woningen, tuintjes voor en achter, goede scholen, veel groen en frisse lucht, en daarbij nog een leeszaal vol hoogstaande gedachten. Het opvallende van Betondorp was dat de wijk in geen enkel opzicht voldeed aan het stereotiepe beeld van de verpauperde, ontwortelde buurt waar extreem-rechts gemakkelijk wortel schoot. De statistieken toonden een stabiele gemeenschap, waarvan het merendeel van de bewoners boven de vijftig was en er vaak al 'van moeder op kind woonde'. Niet rijk – veel ouderen leefden van nauwelijks meer dan hun AOW – maar wel degelijk. Het percentage immigranten lag er aanmerkelijk lager dan in de rest van de stad. In heel Betondorp woonden welgeteld vier Marokkaanse families, één van de jongens had wel eens een bromfiets gestolen, daar was het nodige over gezegd, maar uiteindelijk ging het daar niet om.

'De stille armoede, dat is hier het echte probleem,' zei een van de Betondorpers die ik sprak. De belangrijkste oorzaak van de volkswoede had te maken met de illusiewereld van Den Haag, waarin men eindeloos kon beloven en bezuinigen terwijl daar nooit consequenties aan verbonden leken te zijn, de wereld van 'een tandje minder', 'een pas op de plaats' en 'allemaal samen' zonder ooit iets te beseffen van de waarde van een briefje van vijftig op een bijna bevroren AOW, van de angst voor weer een huurverhoging, de schrik bij een naheffing van het energiebedrijf. 'Er wonen hier bijna geen racisten,' zei een van de mannen. 'Maar ze zouden zelfs op de duivel stemmen om de politici wakker te schudden.'

Iedereen was bang en boos, daar in Betondorp, maar het was uiteindelijk niet de angst voor moslims of immigranten die het leven beheerste, maar 'the fear of falling', zoals de Amerikaanse sociologe Barbara Ehrenreich dat zo treffend omschrijft, de eeuwige angst van de middenklasse om moeizaam verworven posities – een goed huis, zekerheid voor de toekomst – weer te verliezen. De dromen en idealen, die het dorp de hele twintigste eeuw hadden beheerst, leken in het niets te zijn opgelost. De dorpskrant schreef: 'Betondorpers hadden vroeger een streepje voor omdat ze wisten hoe de toekomst eruit zou zien. Nu weten we alleen nog hoe het verleden eruitzag.'

De verloren zekerheden van Betondorp waren een

onderdeel van de fundamentele crisis in de Nederlandse politiek die rond de eeuwwisseling naar buiten brak.
Zo'n beweging van onvrede kon worden verwacht.
Maar er was veel meer aan de hand. Het land had in de
tweede helft van de twintigste eeuw enorme sociale en
religieuze veranderingen ondergaan, maar de politieke
structuur was al honderdvijftig jaar hetzelfde: min of
meer dezelfde politieke stromingen, in immer wisse-
lende coalities tot elkaar gedoemd.

Nederland verandert met schokken, dat wisten we
zo langzamerhand wel. De Amerikaanse historicus
James Kennedy had Nederland eens getypeerd als
'een land van verworpen tijdperken', en dat was niet
overdreven. In andere landen beweegt de geschiedenis meestal met enige continuïteit, maar hier moeten,
zo lijkt het wel, alle lijnen voortdurend worden doorbroken. Nog maar vier jaar eerder viel het hele land
over koningin Beatrix toen ze het waagde toch in
Oostenrijk met vakantie te gaan, terwijl daar net een
rechtse nationalist in de regering was gekomen. Nu
waren veel van diezelfde Oostenrijkse ideeën omge-
smeed tot officieel Nederlands regeringsbeleid. In de
'losse' jaren zestig verwierpen we de verzuilde jaren
dertig en vijftig. In de jaren negentig, toen Nederland
echt aan het grote consumeren begon en alleen de
markt nog telde, sloeg het land de idealistische en 'politiek correcte' jaren zestig van zich af. Nu was het tijd
voor verdere stappen.

Jarenlang domineerden vrije jongens, boze meisjes en partijloze opiniemakers de media. Toch werd niets van al dit ongenoegen gekanaliseerd tot een politieke stroming. Ook dat leidde tot instabiliteit. Na een grote economische ineenstorting of een zware terroristische aanslag zou er volgens opiniepeiler Maurice de Hond in dit land van alles kunnen gebeuren. Hij wees op de voortekenen: in Rotterdam wisten de populisten bij de verkiezingen in 2002, uit het niets, ineens een derde van de kiezers te trekken. 'Als het systeem zichzelf niet reinigt gaat het met een klap.' De nestor van de Nederlandse journalistiek, Henk Hofland, startte eind november een privécampagne. Ieder stuk dat hij schreef, eindigde met de waarschuwing dat ook in Nederland een staatsgreep of een burgeroorlog denkbaar is: 'Eén grote terroristische islamaanslag, gevolgd door woedende reacties van autochtonen, en dit land explodeert.' Een maand later sprak een van de populistische leiders tegenover *HP/De Tijd* openlijk over zijn plannen: 'Het beste voor een land is een goede dictator.'

De Canadees/Amerikaanse stadssociologe Jane Jacobs schreef aan het eind van haar leven, onder de sombere titel *Dark Age Ahead*, dat onze westerse samenlevingen duidelijk tekenen van verval vertonen. Een van de probleemgebieden die ze noemde, naast de buurt- en dorpsgemeenschap, de familie en het onderwijs, was de beroepsethiek en de zelfdiscipline van de academische wereld. De werkwijze van iedere wetenschapper en intellectueel, schreef ze, vereist 'integriteit, een gevoel voor bewijsvoering en het bijbehorende respect daarvoor en een alertheid voor nieuwe vragen die kunnen opduiken'. Als die discipline wegvalt, ontstaat er ruimte voor de merkwaardigste en gevaarlijkste soorten dogmatiek, of het nu links of rechts is. 'Het vergiftigt het intellect, omdat daarna alles wat deze gestolde en verwrongen kennis aanraakt, erdoor wordt beschadigd.'

In die novembermaand, ik meldde het al terloops, riep het Nederlandse publiek Pim Fortuyn tot 'grootste Nederlander aller tijden' uit. Met een half oog volgde ik de 'zinderende finale van de heldenstrijd', zoals *De Telegraaf* het noemde. Binnen een kwartier tijd tuimelden de klassieke iconen van de Nederlandse beschaving om. Spinoza – afkomstig uit de Amsterdamse jodenbuurt, een van de belangrijkste filosofen uit de wereldgeschiedenis – had de voorrondes niet eens overleefd, Erasmus en Rembrandt rolden al direct van het toneel, daar gingen Anne Frank en Antoni van Leeuwenhoek, Vincent van Gogh telde ook niet mee, Willem Drees en Willem van Oranje hielden nog even stand, maar Pim Fortuyn was toch duidelijk de allergrootste.

Naast de crisis rond de immigranten, de politiek en de media was er ook nog eens een crisis gaande rond

Nederland zelf. Wie waren wij, Nederlanders, eigenlijk? Waar lag onze eigen identiteit? Wat wisten we van
de rest van de wereld? Een jaar of wat eerder glimlach-
te iedereen over de wereldvreemdheid van de toenmalige minister-president, toen die voor het eerst een
computermuis ter hand nam: hij probeerde met het
ding naar het scherm te zappen alsof het de afstandsbe-
diening van een televisie was. Toen echter Nederlandse
politici en opiniemakers op het gebied van recht, geschiedenis en theologie een soortgelijke onkunde begonnen te vertonen, lag het land aan hun voeten.

Er werden die maanden de raarste dingen geroepen. Sommigen beweerden dat ze nu begrepen waarom die slappe Nederlanders in mei 1940 zo snel voor de
Duitsers capituleerden; van het bombardement op Rotterdam en het taaie verzet daarna hadden ze blijkbaar
nooit gehoord. Anderen schreven met grote stelligheid
dat geen moslim ooit iets nieuws had voortgebracht en
nooit enige bijdrage had geleverd aan kunst en wetenschap; ze hadden duidelijk nooit iets gezien van Grana-
da of Istanbul, nooit iets geweten van de wetenschappelijke bloei van de islamitische wereld in de vroege
Middeleeuwen, nooit iets gehoord over hun metrisch
stelsel dat de hele wereld nog altijd gebruikt, nooit be-
seft dat sommige Griekse en Romeinse klassieken ons
alleen zijn overgeleverd dankzij de universiteiten van
Bagdad en Sevilla. En al die meningen bleven maar
doorrollen, het leek wel of er geen algemene kennis

meer bestond om ze nog te stuiten of weg te honen. Zeker twee decennia was het Nederlandse onderwijs – 'markt!', 'cliënt!' – op het terrein van geschiedenis en andere geesteswetenschappen sterk verwaarloosd. Dat begon merkbaar te worden in het publieke debat.

De taal van sommige van die opiniemakers was opvallend grof. Ik had enkele malen Nasr Hamid Abu Zaid mogen ontmoeten, een zachtmoedige en buitengewoon dappere moslimgeleerde met een grote internationale reputatie. Hij was hoogleraar arabistiek geweest aan de Universiteit van Cairo, had omwille van zijn liberale overtuigingen moeten vluchten – radicale islamisten dreigden hem van zijn vrouw te scheiden, een medestander was al vermoord – en had uiteindelijk onderdak gevonden bij de universiteiten van Leiden en Berlijn. In Nederland werd zijn werk echter door zijn Leidse collega Paul Cliteur – hoogleraar encyclopedie der rechtswetenschappen, niet de eerste plek waar je een diepgaande kennis over de islam zou verwachten – in het blad *De Humanist* bejegend als 'het meest naïeve boek dat ik in jaren gelezen heb'. Zaid leefde volgens hem 'in een fantasiewereld'. Zijn conclusie: 'Man, hou je kop onder de kraan.'

Veel werd er gepraat over de Verlichting, zoals in vroeger eeuwen dromerig werd geschreven over onze Bataafse voorvaders, hoewel daarover in werkelijkheid nauwelijks iets bekend was: zuivere idealen, robuuste helden, vrijheid en gelijkheid voor alle burgers. Een nieuwe term dook voortdurend op: *Leitkultur*, waarmee gedoeld werd op de centrale culturele grondstroom van het land. De fractievoorzitter van de liberalen pleitte in een interview voor een 'hernieuwd patriottisme', waarbij een verbeterd geschiedenisonderwijs moest dienen om de 'grondtoon van de natie' over te dragen.

In werkelijkheid hadden dergelijke begrippen niets met de Verlichting te maken, sterker nog, 'Kultur' en 'oorsprong' waren juist kernbegrippen van de Duitse romantische denkers die de 'rationele' Verlichting krachtig verwierpen. Tegelijkertijd leek het wel of bijna iedereen een van de meest essentiële verworvenheden van diezelfde Verlichting had vergeten: de gelijkheid van iedere burger voor de wet, het verbod van willekeur, de universele waarde van de mensenrechten, het systeem van regels en beperkingen dat algemeen wordt aangeduid als de rechtsstaat.

De fractievoorzitter van de grootste regeringspartij wilde in de grondwet vastleggen dat grondrechten, zoals het recht op vergadering en vereniging, aan personen konden worden ontnomen die daar 'misbruik' van maakten. Ayaan Hirsi Ali stelde in de Kamer voor om bij sollicitaties moslims eruit te lichten en apart te screenen op politieke overtuigingen. Dat dit nadrukkelijk in strijd is met de non-discriminatiebepalingen van de grondwet, kon haar niets schelen. De leider van de rechts-nationalen pleitte voor een ruime toepassing van de grondwetsbepalingen die het uitroepen van de uitzonderingstoestand mogelijk maken. Als 'de rechtsorde en het volksbestaan' in gevaar zouden zijn, konden zo zonder tussenkomst van de rechter mensen gevangengezet worden. Als dat niet voldoende was, zou Nederland het Europees Verdrag voor de Rechten van de Mens moeten opzeggen om terrorisme en extreme straatoverlast van moslimjongeren aan te pakken; hij sprak over 'de alledaagse terreur op straat, waar tienduizenden Nederlanders in grote en kleine steden dagelijks onder gebukt gaan'.

Ook in het regeringsbeleid was een tendens merkbaar om zich steeds minder van de klassieke grondrechten aan te trekken. Het 'Verdrag betreffende de status van Vluchtelingen', waar het recht op asiel wordt erkend voor iedereen die 'gegronde vrees' heeft voor vervolging wegens ras, godsdienst, nationaliteit of politieke overtuiging, was officieel een integraal onderdeel van het Nederlandse recht. In de praktijk had het land het selectiesysteem voor vluchtelingen vrijwel helemaal gericht op het afweren van zoveel mogelijk nieuwe aanvragers. Het hoogste rechtscollege, de Raad van State, kwam tot de meest absurde uitspraken – latere generaties zullen de jurisprudentie met toenemende verbazing bestuderen. Irakese vluchtelingen werden bijvoorbeeld rustig teruggestuurd naar de kwellingen van dictator Saddam Hoessein terwijl dat regime door Nederland en zijn bondgenoten tegelijk beschouwd werd als het centrale element in 'de as van het kwaad'. Ik kende een Tsjetsjeense student die, zo wist de Nederlandse overheid met grote zekerheid, in zijn land niet hoefde te vrezen voor enige vervolging. Tegelijkertijd durfde bijna geen buitenlandse waarnemer daar zelfs maar een voet te zetten. Ik maakte het mee dat een moedige Sudanese mensenrechtenactiviste in Den Haag gehuldigd werd door de minister voor Vreemdelingenzaken en Integratie vanwege haar grenzeloze moed in deze riskante omgeving, toch wist ik zeker dat als deze zelfde vrouw zich in Nederland als vluchteling zou melden, ze in het nieuwe systeem nauwelijks of geen kans maakte op asiel.

Eenzelfde ontkenning van grondrechten vond plaats rond de introductie van de verplichte burgerschapscursussen en -diploma's. Ook voormalige vreemdelingen die al de Nederlandse nationaliteit hadden gekregen werden daartoe verplicht, op straffe van boetes en andere narigheden. Iedere tweedejaars rechtenstudent kon vertellen dat zoiets nu eenmaal niet mogelijk was: het is streng verboden om onderscheid te maken – ofwel te discrimineren – tussen Nederlanders op basis van hun afkomst. Ambtelijke adviescommissies zeiden hetzelfde: dergelijke maatregelen zijn alleen mogelijk als Nederland enkele tientallen verdragen op het gebied van mensenrechten opzegt. Slechts een handvol bewindslieden, kamerleden en opiniemakers besefte wat hier gebeurde.

De klassieke opvatting over de rechtsstaat – dat het recht een waarde op zich is, dat de praktijk soms onhandig is, maar dat over het algemeen en op lange termijn de 'rule of law' veruit te verkiezen valt boven de willekeur en het kortetermijnprofijt van gelegenheidswetten en -besluiten – leek te zijn verdrongen door een meer cynische uitleg: het recht moest in de eerste plaats de machtigen en de meerderheden dienen, het was een beleidsinstrument, en juristen waren in de eerste plaats beleidsfunctionarissen die hun adviezen zo moesten kneden dat zelfs het dolzinnigste idee door de mazen van recht en wet kon glippen.

Net als de rechtsstaat kreeg ook het begrip 'vrijheid van meningsuiting' in het debat een nieuwe inhoud. Wie de geschiedenis van dit soort grondrechten een beetje kent, weet dat zulke 'verlichte' garanties voornamelijk bedoeld waren als bescherming van burgers tegen al te bemoeizuchtige en onderdrukkende koningen, regenten en andere gezagdragers. Het 'recht op belediging', dat sommigen zich toe-eigenden, was het tegendeel daarvan. Het vernederen en discrimineren van minderheidsgroepen kon – en kan – nooit beschouwd worden als ultieme 'vrijheid van meningsuiting'.

Het denken van de Verlichtingsfilosofen ging juist in een heel andere richting: minderheden moesten gerespecteerd worden, en als ze rare ideeën hadden, moesten ze via onderwijs, opvoeding en het beschaafde voorbeeld van hun medeburgers tot hogere gedachten worden gebracht. De Verlichting was een beschavingsoffensief waarmee grenzen konden worden doorbroken, niet een middel om grenzen af te bakenen en andersdenkenden buiten te sluiten. De Verlichting ging uit van ontwikkeling en integratie, niet van confrontatie. Wie dat nog durfde zeggen hoorde echter, in dat najaar, bij 'de vijfde colonne' van 'softies' en 'moslimknuffelaars'.

Charles de Montesquieu was, met zijn permanente aanvallen op het gezag en zijn befaamde 'scheiding der machten', in de achttiende eeuw een van de belangrijkste juridische denkers van de Franse Verlichting. Zijn naam hoorde in de Hollandse neo-Verlichtingsfilosofie van 2004 duidelijk niet meer thuis.

Tijdens die donkere decemberdagen van 2004 liep ik op een late avond over de Dam, het nationale plein van Nederland. Er stond, zoals op alle nationale pleinen in alle grote steden in het Westen, een reusachtige kerstboom. NOORDZEE, 100.7 METER stond op een spandoek dat daaromheen was gedrapeerd, en permanent schalden de hits van deze commerciële zender over het lege, natte plein. Dit was duidelijk een reclameboom. In iedere grotemensenstad ter wereld worden zulke kerstbomen neergezet door het stadsbestuur of door een speciale commissie. Meestal zijn ze ook nog eens het geschenk van een of andere zustergemeente in het verre noorden. Er horen vaak rituelen bij, burgemeesters-vrouwen steken de eerste lichtjes aan, kinderen zingen.

In het Nederland van 2004 was zelfs deze nationale boom uitgehoerd aan de meest biedende. Alles was hier te koop. Ik stond er een poosje naar te kijken. De leegte galmde je tegemoet. De bestuurlijke leegte, waarvan deze verkwanseling van de publieke ruimte de zoveelste uiting was. Maar ook de leegte aan cultuur, traditie, innerlijke waarde. Het volkomen gebrek aan trots. Je zou bijna moslim worden.

V

Mijn oude vriend Sasja kwam langs. Hij komt oor-
spronkelijk uit Servië en ik leerde hem kennen in het
begin van de jaren negentig, toen de oorlog in het
voormalige Joegoslavië net was uitgebroken. Hij had
geweigerd om mee te doen aan het etnische geweld,
was gedeserteerd, naar Nederland gevlucht, en had
hier een nieuw bestaan opgebouwd. 'Weet jij nog hoe
het bij jullie begon?' vroeg ik.

'Heel precies,' zei hij. 'De dag, de minuut bijna. Het
was in 1989. Joegoslavië was in alle opzichten nog één
land. We plaagden elkaar als vrienden wel eens over
onze etnische afkomst – "Zeg, ouwe moslim", in die
trant – maar verder dachten we er nooit over na. De
eenheid van Joegoslavië was voor ons een volstrekte
vanzelfsprekendheid, we hadden nooit iets anders gekend, en we konden ons ook niets anders voorstellen.
Op die avond in 1989 zat ik met mijn ouders voor de
televisie. Opeens, pang, extra uitzending: een Duitse
generaal had wapens geleverd aan een ondergrondse
beweging van Kroaten. Die zouden bezig zijn met een

fascistische machtsovername. Een hele documentaire, een uur lang. Sensatie. De volgende dag, groot op het nieuws: drie Kroatische jongens verkrachtten een Servisch meisje. Weer een dag later: een Servisch gezin is door Kroaten de buurt uit gepest. Zo ging het maar door, drie jaar lang, dag na dag. Je kon je er niet aan onttrekken, je werd helemaal gek gemaakt.'

Ik was later een paar keer bij Sasja's familie op bezoek geweest, ik had meegemaakt hoe zijn vader, ooit een trouwe communist, langzaam werd meegezogen in de Servische propaganda. De kerstboom ging de deur uit, de 'nationale' orthodoxe kerstmis werd in ere hersteld. Hij kocht een pistool, deze vreedzame man, want je kon het nooit weten met die 'fascistische' Kroaten en die 'moslimhordes' die Serviërs de keel afsneden.

Ik maakte mee hoe daar in Servië, in een paar jaar tijd, door een handvol nationalisten, rechtse populisten en hysterische intellectuelen een vreemd potje werd gekookt, een mengeling van godsdienstige en historische theorieën, gecombineerd met een stevige portie populisme en vreemdelingenhaat, een vleugje nostalgie, afgemaakt met een scheut bloed en bodem. Daarbij hoorde ook een nieuwe taal, een nationalistisch jargon waarin iedere twijfel en nuance was uitgesloten, waarin alles was teruggebracht tot gevoel en saamhorigheid, waarin alles wat ingewikkeld was werd herleid tot vaste slogans, waarin zoeken en nadenken niet meer bestond.

'Woorden kunnen nietige stukjes arsenicum zijn;
ze worden ongemerkt ingeslikt en lijken geen uitwer-
king te hebben, maar na enige tijd is de gifwerking er
toch,' schreef de Duitse romanist Victor Klemperer
over de taalveranderingen tijdens de opkomst van het
Derde Rijk. 'Als iemand maar lang genoeg "fanatiek"
zegt in plaats van "heldhaftig" en "deugdzaam", ge-
looft hij tenslotte echt dat een fanaticus een deugdza-
me held is en dat je zonder fanatisme geen held kunt
zijn.' Klemperer, die als gemengd-gehuwde jood zijn
eigen geschiedschrijving ternauwernood overleefde,
noteerde in zijn dagboek jarenlang alle nieuwe termen die hij oppikte. Na de oorlog publiceerde hij de
resultaten in zijn *LTI. De taal van het Derde Rijk.*

Ik heb die winter, meer dan een halve eeuw later,
het *LTI* van a tot z herlezen, en dat was geen opwek-
kende bezigheid. Ook nu zag ik, net als Klemperer,
hoe redelijke en aardige mensen meegesleept werden
door het jargon en de taal en, sterker nog, ernaar gingen handelen. Ik ervoer die taalvervuiling zelf: regelmatig werd rond de aanslag op Van Gogh het begrip
'rituele moord' gehanteerd, ik had de term een paar
keer zelf gebruikt, tot iemand me erop wees wat voor
gevaarlijke onzin dat wel niet was: alsof in de koran
een recept zou staan voor het afslachten van godsdienstige tegenstanders.

De nieuwe modetermen waren sterk negatief gela-
den. Ze dwongen tot versimpeling, tot generalisatie en

discriminatie, tot het loslaten van iedere nuance. Het 'benoemen van de problemen' was een geliefkoosde term geworden, in werkelijkheid was het een vorm van misleiding, omdat ingewikkelde problemen juist nooit in een of twee slogans 'benoemd' konden worden. Weer helemaal in opmars was de term 'doofpot', met zijn eeuwige suggestie van machinaties en complotten in hogere kringen en de onmacht van het volk. Geliefd was ook de zinsnede: 'de dingen eindelijk hardop durven zeggen'. Daarmee werd het slachtofferschap uitgedrukt, de jarenlange repressie door linkse intellectuelen, die nu door de moedige spreker of spreekster werd getrotseerd. Met het begrip 'demoniseren' – in het Duitsland van 1930 werd met hetzelfde doel *diffamieren* gehanteerd – kon elke criticus buiten het debat worden geplaatst. Ook werden met deze term de verhoudingen bepaald: iedere woordvoerder van de nieuwe orde mocht alles uitkramen wat hij wilde, maar ieder weerwerk kon worden beschouwd als ondemocratisch, zelfs gewelddadig.

Ik hoorde voor de radio een keurige dame spreken over 'de goede moslims die er ook waren', alsof de overgrote meerderheid slecht zou zijn. De leider van de rechts-nationalen riep dat hij 'de hoofddoekjes wel rauw lustte'. Het begrip 'vluchteling', in de jaren zeventig nog een eretitel, was in de daarop volgende decennia vervangen door de term 'asielzoeker', een woord dat meestal gebruikt werd in de zin van outcast, uitvreter, probleemgeval. Wie daarentegen het prachtige woord 'tolerantie' uitsprak, maakte zichzelf onmiddellijk tot doelwit: hij of zij was duidelijk een 'multiculti', of, ernstiger, 'een landverrader'.

Het meten met twee maten 'mocht' weer. Alom werd geschreven over het problematische gedrag van 'de' moslimjeugd in sommige buurten. In dezelfde weken werd een beruchte asociale familie van Nederlandse herkomst, de 'Tokkies', in disco's overal in het land op het podium gehesen en toegejuicht. *HP/De Tijd* wijdde een beschouwing aan 'de mislukking' van de integratie, die uitmondde in een pleidooi voor het opzetten van aparte wijken voor moslimimmigranten. Getto's heten dergelijke concentraties al eeuwenlang.

'Politiek correct' was een veelgebruikt scheldwoord geworden. Ik liep langs de Weesperstraat in mijn eigen stad, een kale kantoorallee. Ik zag diezelfde straat voor me, twee generaties geleden, een smalle, volkse, drukke winkelstraat, te vergelijken met de Utrechtsestraat. Al die mensen die daar rondliepen, waren vermoord, tachtigduizend alleen in Amsterdam, en het was allemaal begonnen met taal, woorden, kreten als 'nationaal', en 'zuiver', en 'zij', en 'ons'. Mochten we ons dat nog herinneren? Mocht ons dat nog een beetje voorzichtig maken bij alles wat we uitkraamden?

'Nou is het aanpassen of opzouten,' zei een zwaar opgemaakte mevrouw voor de camera's van het televisiejournaal tijdens de crematie van Van Gogh. 'En dan niet naar huis, maar naar een onbewoond eiland. Dan moeten ze daar maar aan eten zien te komen en als dat niet lukt slachten ze mekaar maar af.' De mevrouw had een goede historische intuïtie. In de jaren dertig werden exact dezelfde plannen ontwikkeld ten aanzien van de Duitse joden. Madagaskar heette het eiland.

'Of het nu om politiek of maatschappij gaat, om kunst of literatuur, in elke revolutie zijn altijd twee tendensen werkzaam: niet alleen de wil om tot iets volledig nieuws te komen, waarbij het contract met het dusver geldende op grove wijze wordt benadrukt, maar ook de behoefte om bij het verleden aan te knopen, de behoefte aan een rechtvaardigende traditie,' schreef Klemperer. 'Men is niet absoluut nieuw, men keert terug naar datgene waartegen het af te sluiten tijdperk heeft gezondigd, terug naar de mensheid of de natie of de zedelijkheid of het ware wezen van de kunst enzovoort enzovoort.'

Ook in het Nederland van 2004 waren beide richtingen duidelijk zichtbaar. Er was een nieuwe orde waarom werd geroepen. Het tienpuntenplan van de rechts-nationalisten bestond uit een simpele en daadkrachtige mix: de regel 'three strikes you're out' voor criminelen, halvering van de ontwikkelingshulp voor de armste landen, mildheid voor belastingbetalers en hardrijders op de snelwegen, uitsluiting van het moslimland Turkije buiten de EU en harde maatregelen om immigranten in het Nederlandse gareel te jagen.

Tegelijk was er een hang naar het verleden, een roep om het behoud van de idealen van de Verlichting, zonder dat overigens iemand zei wat hij daar precies mee bedoelde. Legde hij de nadruk op de scheiding tussen staat en godsdienst, of verwierp hij alle vormen van religie? Omarmde hij de briljante eigenzinnigheid van Voltaire, of benadrukte hij, met Jean-Jacques Rousseau, juist de sociale natuur van de mens? Was de Verlichting voor hem vooral een rebellie tegen het despotisme, of een onderdeel van Immanuel Kants verkenningstocht 'Durf te weten!'? Niemand leek te beseffen hoeveel hoofden en zinnen dat ene begrip omvatte. Zo bleef het debat wollig als altijd: de veelgeroemde Verlichting was een jas die alles omhulde.

Wat was de Verlichting dan wel? Het was een begrip dat de achttiende-eeuwse schrijvers en denkers die zich tot de beweging aangetrokken voelden letterlijk namen: zij waren, dankzij de kracht van de rede, de wetenschap en de humaniteit, bezig zich los te maken van de eeuwen van duisternis, waarin hun voorouders altijd gekluisterd waren geweest. De belangrijkste drijfveer van de Verlichtingsfilosofen was de ratio, het heldere denken dat zich niet liet vertroebelen door emoties, tradities en bijgeloof. Vandaar dat de ene Verlichtingsdenker na de andere de strijd aanbond met kerk, koning en aristocratie. Een ander kenmerk was het vooruitgangsgeloof: dankzij de ontdekking van steeds meer wetenschappelijke wetmatigheden zou de mens alle oude problemen kunnen overwinnen, niet alleen in de natuur, maar ook in de menselijke samenleving. Grenzen telden hier niet meer – de beweging was opvallend kosmopolitisch –, privileges, rangen en standen zouden uiteindelijk wegvallen, vrijheid, gelijkheid en broederschap zouden heersen over de wereld.

Dat was de kern van de Verlichting. De islam had zo'n fase van herbezinning nooit doorgemaakt. Allerlei principes die na de Verlichting in de westerse samenlevingen min of meer vanzelfsprekend waren geworden – de scheiding van kerk en staat, de rede, de permanente zelfkritiek en zelfcorrectie, de gelijkwaardigheid van mannen en vrouwen, hetero's en homo's, minderheden en meerderheden, gelovigen en ongelovigen – waren slechts in beperkte mate doorgedrongen tot de islamitische traditie. Er werden dan ook terecht vragen gezet bij het ver doorgevoerde cultuurrelativisme van de Nederlanders. Is de multiculturele samenleving wel zo ideaal, vroegen sommige auteurs zich af, zeker nu een deel van de moslimimmigranten daar lak aan heeft en zelfs te beroerd is om een paar woorden Nederlands te leren? Kun je niet beter streven naar een multi-etnische samenleving, waarin, uiteindelijk, de westerse cultuur de dominante is? Anderen scherpten het debat verder aan. Mag je er wel van uitgaan dat alle beschavingen even beschaafd zijn? Moet je niet praktijken als het uithuwelijken, de besnijdenis van vrouwen en het uitspreken van fatwa's nadrukkelijk afwijzen als onbeschaafd en niet passend in een westerse samenleving? Sterker nog, als je dat als Nederlander niet doet, waar is dan nog je zedelijke beoordelingsvermogen?

Meerdere auteurs drongen er, kortom, op aan om uit onze zelfvoldane rust te ontwaken. Ze zagen in hun enthousiasme echter een belangrijk historisch gegeven over het hoofd: in tegenstelling tot in Frankrijk is de Verlichtingsbeweging in Nederland nooit tot volle bloei gekomen. In deze burgerrepubliek bestond geen duidelijke centrale staat, geen koning die onthoofd moest worden om ruimte te maken voor de rede en de burger. De Nederlandse tolerantie en burgerlijke eigenwijsheid stamden, zoals gezegd, al uit de late Middeleeuwen.

Natuurlijk, ook hier bestonden in de achttiende eeuw allerlei pamfletten, kranten en opgewonden genootschappen, maar deze beweging vermengde zich al snel met een vernieuwingsbeweging onder de theologen. De Franse filosofen die in Amsterdam logeerden, deden dat voornamelijk om er tot rust te komen en hun boeken te laten drukken. Het waren honderden 'moderne' dominees die, samen met schoolmeesters en journalisten, door de hele negentiende eeuw heen dit gedachtegoed stukje bij beetje introduceerden. Nederland heeft evenwel nooit een 'contrat social' gekend, nooit een 'état', nooit 'citoyens', nooit een scherpe scheiding tussen staat en godsdienst. We spraken hier steevast over een 'overheid' met 'onderdanen', en tot ver in de twintigste eeuw werd in veel gemeenteraden de vergadering geopend met een heus ambtsgebed. Als Nederland al een traditie heeft, dan is het die van, in de woorden van de politicoloog Paul Kuypers, 'de verlichte theocratie'.

De aanhangers van de nieuwe Verlichting grepen dus terug op een 'typisch Nederlands' staats- en denkmodel dat hier in werkelijkheid nooit goed wortel heeft geschoten. Tegelijkertijd hadden ze geen enkel oog voor de weinig spectaculaire maar zeer effectieve Nederlandse ontwikkelingstraditie van studeren, polderen, tolereren, tegenhouden, tobben, pappen en nathouden.

Sommigen gingen nog een stap verder. De Verlichting werd in hun ogen niet een beweging, een eeuwig streven, maar een ideaalsituatie, het eindpunt van een proces van zuivering, van een 'shortcut to Enlightenment'. 'Verlicht' werd net zoiets als 'uitverkoren', het kreeg een bijna religieuze status. Toen Ayaan Hirsi Ali en de leider van de rechts-nationalen samen opriepen tot een 'liberale jihad', was dat meer dan een ongelukkige verspreking. In de kern ging de strijd precies om het omgekeerde: juist die burgerlijke, weinig heldhaftige mentaliteit van de liberale beschaving, die alledaagse vrijheid, die gerealiseerde utopie van een redelijk veilige, redelijk rechtvaardige en redelijk welvarende samenleving, alles wat zo moeilijk valt te omschrijven en te verdedigen, juist die vanzelfsprekende verworvenheden vormden voor de fundamentalisten vermoedelijk de allergrootste provocatie.

Er bestaat een Franse politieke prent uit het eind van de negentiende eeuw, de tijd van de toen allesverscheurende kwestie-Dreyfus. Op het eerste plaatje – ik moet het tafereel uit mijn herinnering beschrijven – zit een burgerfamilie aan een uitbundige en vrolijke maaltijd. Op het volgende plaatje beukt grootmoeder met een wijnfles op een schoondochter in, twee neven staan op het punt elkaar te wurgen, dochters krabben elkaar de ogen uit, vaders en zonen zijn op de vuist, de hond heeft de kat in de gordijnen gejaagd, de vredige dis is in één klap herschapen in een slagveld. De oorzaak? 'De naam viel...'

Soortgelijke situaties speelden zich honderd jaar later in Nederland af rond Ayaan Hirsi Ali en haar filmpje *Submission Part 1*. De een vond het kamerlid een eerlijke en dappere strijdster voor de rechten van moslimvrouwen, waarbij provocaties onvermijdelijk waren. De ander beschouwde haar als een extremiste die evenveel affiniteit had met degenen die ze wilde redden als de marxistische wereldverbeteraars ooit met 'de arbeidersklasse' hadden. De een zag het als hoogst onbehoorlijk om, nu ze in zulke benarde omstandigheden verkeerde, ook maar enige kritiek op haar te hebben. De ander riep dat hij haar mogelijkheden om welke mening ook te uiten tot de laatste snik zou verdedigen, maar dat diezelfde vrijheid van meningsuiting hem niet het recht, sterker nog, de plicht ontnam om het grondig met haar opvattingen oneens te zijn. De scheiding der geesten liep dwars door politieke partijen, vriendenkringen en families.

Ik besloot *Submission Part 1* nog eens onder de loep te nemen. Het filmpje toont een gesluierde actrice omringd door een viertal zittende en liggende vrouwen, merendeels schaars gekleed. De lokatie is, zoals het scenario uitlegt, Islamistan, een fictief land waar de sharia, de islamitische wetgeving, is ingevoerd. De vorm van de film is in wezen één groot gebed, één jammerklacht aan Allah. De ene vrouw ligt in een foetushouding omdat, zo blijkt uit de tekst die de actrice uitspreekt, ze net honderd stokslagen heeft gehad. De andere vrouw wordt binnen haar huwelijk systematisch verkracht. De derde vrouw is bont en blauw geslagen, haar kleren zijn gedeeltelijk van haar lichaam gerukt. De vierde vrouw is zwaar gesluierd, zij is een slachtoffer van incest. Terwijl men de verhalen van de vrouwen vertelt, worden op hun halfblote lichaamsdelen teksten uit de koran geprojecteerd met oproepen om 'iedere echtbreekster en echtbreker' honderd slagen te geven en 'ongehoorzame' vrouwen 'te tuchtigen'.

Het is een gefilmd pamflet, niets meer en niets minder, een terechte aanklacht tegen de mishandeling van moslimvrouwen. Zo was het filmpje, volgens Hirsi Ali, ook bedoeld: om moslims te prikkelen tot nadenken. Maar de onderliggende boodschap van het filmpje is gecompliceerder, juist door die sterk religieuze lading. Het is ook een bewuste provocatie, het wil ook de houding van de islam jegens vrouwen in het algemeen aan de kaak stellen. 'Het woord van Allah is het allerheiligste, het allerhoogste wat er is en tegelijkertijd is er een beeld van de vrouw, dat ze het allersmerigste, het allerlaagste is dat God heeft geschapen,' zei Hirsi Ali tijdens een toelichting. 'Dat op elkaar zetten is heiligschennis.' Van Gogh was nog duidelijker: het ergste wat hen als makers kon overkomen, zou zijn dat 'er geen moslim aanstoot aan neemt'.

Ayaan Hirsi Ali heeft ettelijke malen benadrukt dat het nooit haar bedoeling was om te suggereren dat alle moslimmannen hun vrouwen slaan. Toch is dat de boodschap die de beeldtaal van haar filmpje verkondigt. De mishandeling van vrouwen wordt in de opeenvolgende scènes telkens weer gekoppeld aan de koran, en aan 'rechten' en 'plichten' die moslimmannen daaraan zouden kunnen ontlenen. Zonder dat de makers dat waarschijnlijk beseften, hanteerden ze, bijvoorbeeld, hetzelfde schema dat Joseph Goebbels in 1940 toepaste in zijn beruchte film *Der Ewige Jude*: het tonen van weerzinwekkende beelden van het jodendom, met daarnaast – in dit geval ook nog gefingeerde – citaten uit de talmoed. Met de excessen van een handvol figuren kunnen zo in één klap alle aanhangers van een religie te kijk worden gezet. Het is en blijft een simpele en zeer effectieve propagandatruc.

Ik snap nog altijd niet precies hoe de emancipatiemethode van *Submission Part 1* zou moeten werken. Geen zinnig mens ontkent dat vrouwen het soms ongenadig zwaar hebben in de islamitische wereld, dat er in de koran teksten staan waarmee grote geestelijke en lichamelijke wreedheid gerechtvaardigd kan worden en dat de positie van de vrouw een van de belangrijkste elementen in het moderniseringsproces van de islam is. Volkomen terecht werd van moslims geëist om ook bij henzelf het meten met twee maten aan de kaak te stellen. Hoe kon je immers van anderen tolerantie verwachten, als je daar zelf niets van liet zien? Ik zag op oudejaarsdag een rouwadvertentie in een hoekje van *de Volkskrant*: 'Zo moedig, zo angstig, zo jong. Zoveel onveiligheid in jouw verleden. Zoveel hoop en inzet voor een wel veilige toekomst. Maar met slechts één schot...' Farda Omar. Ondertekend door twee Limburgse blijfvan-mijn-lijfhuizen. 'Dag moedige vrouw...'

Maar aan de andere kant: hoorde ik die maanden, van al die opgewonden politici, ooit iets over de wurgende angsten van Farda Omar en haar lotgenoten? Vroeg iemand zich in die kringen af wat deze vrouwen in hemelsnaam aan moesten met een filmpje als *Submission Part 1*? Wat me vooral is bijgebleven uit een van de vele tv-reportages over Hirsi Ali, is een klein gebaar, een wegvegende hand toen een mishandelde moslimvrouw het waagde om haar tegen te spreken. Als de Nobelprijswinnares Shirin Ebadi, die in haar land Iran al jaren een moeizame emancipatiestrijd voerde voor en met haar islamitische lotgenoten, in het publiek verscheen werd ze overal door moslimvrouwen toegejuicht, ondanks alle risico's die ze liepen. Zoiets had ik nooit zien gebeuren rond Hirsi Ali. Wie ik wel in haar entourage zag, altijd maar weer, waren autochtone mannen, handelaars in angst, figuren die politiek belang hadden bij het voortduren van de crisis, gezeten burgers die, een enkele uitzondering daargelaten, nooit in hun loopbaan enige belangstelling hadden getoond voor het lot van moslimvrouwen, en het was volstrekt onduidelijk wie nu wie gebruikte. Het ging, vrees ik, uiteindelijk ook niet om de vrouwen. Het ging om de religie.

Submission Part 1 was tekenend voor een merkwaardige zwenking in het publieke debat: opeens werden allerlei vraagstukken uit hun maatschappelijke, psychologische en politieke context gelicht en in religieuze termen gegoten. Mohammed B. gaf een enorme impuls aan deze theologisering, maar het proces was allang gaande. Het behoren tot een bepaalde religie – in dit geval de islam – werd als centrale oorzaak gezien van alle mogelijke vormen van maatschappelijk kwaad, variërend van terreur tot armoede, jeugdcriminaliteit en asociaal gedrag. Het is, schreef Ayaan Hirsi Ali als antwoord aan haar critici, voor alle wereldbewoners noodzakelijk en urgent om kritisch te kijken naar de islam, 'omdat moslims betrokken zijn bij bijna alle hedendaagse oorlogen in de wereld'. Later werd wel gesuggereerd dat ze duidelijk onderscheid maakte tussen de excessen van bepaalde moslims en de islam zelf, maar in haar geschriften was daar eind 2004 nog niets van te merken. Zelfs de extreme wanverhouding tussen arm en rijk, het grootste en meest gecompliceerde vraagstuk van de wereld, werd tot religieuze termen herleid: de ellende waarin de meeste moslims leven – honger, ziektes, overbevolking, werkloosheid, onderdrukkende regimes – is volgens Hirsi Ali grotendeels te wijten aan de islam.

Wat in de Verenigde Staten altijd nadrukkelijk was vermeden – zelfs de meest rabiate kranten spraken nooit over 'de moslims' maar altijd over 'terroristen' of 'jihadstrijders' – liet men in Nederland probleemloos gebeuren: net als rond de vervolgingen van joden, protestanten en katholieken werd opnieuw een complete godsdienst op de korrel genomen. Al een paar weken na de aanslag op het wTC in New York suggereerde Paul Frentrop in *HP/De Tijd* dat 'de' islam als geheel onder de loep moest worden genomen. In die godsdienst zaten blijkbaar gevaarlijke elementen: 'God staat aan onze kant; mensenlevens tellen niet; wie niet gehoorzaamt sterft. Zouden we na zorgvuldig onderzoek concluderen dat het islamitische gedachtegoed niet deugt, dan moeten we daar ook de consequenties uit trekken. Dan moet de islam als niet passend in een rechtsstaat verboden worden,' aldus deze auteur, die zijn redenatie opvallend genoeg niet doortrok naar het christendom en de miljoenen slachtoffers van oorlogen, geloofsvervolgingen en veroveringstochten.

De leider van de rechts-nationalen stelde in *Trouw* de islam verantwoordelijk voor 99 procent van de problemen rond veiligheid en orde: 'Islam en democratie zijn nooit met elkaar te verenigen. Sterker nog: de islam in zijn zuiverste vorm is ronduit gevaarlijk.' Nadat Theo van Gogh was vermoord, stond een halve dag op de teletekst van de publieke televisie dat de dader 'een islamitisch uiterlijk' had. Dit geloof was dus zo sterk dat het ook lichamen en gezichten bepaalde. Religie en ras begonnen zich met elkaar te vermengen.

Nu is het, als je eerlijk probeert te zijn, bijna niet mogelijk om over 'de' islam te spreken. De islam is een wereldgodsdienst die, in tegenstelling tot bijvoorbeeld het rooms-katholicisme, nauwelijks of geen centrale leiding kent. De praktijk van de islam verschilt dan ook sterk van land tot land. Marokkaanse moslims lijken voor geen meter op Turkse. De Indonesische islam heeft een volstrekt ander karakter dan die in Irak. Binnen dit laatste land zijn de verschillen tussen de diverse moslimgroepen zelfs zo groot dat ze dreigen uit te lopen op een burgeroorlog. Nu al zien onderzoekers onder Turkse moslims in Europa een onderscheid groeien tussen 'Duitse' moslims, 'Nederlandse' moslims en 'Franse' moslims. Net als andere godsdiensten – denk maar aan het calvinisme, dat zich richtte naar de Nederlandse koopmanscultuur – voegt de islam zich uiteindelijk naar de leefwereld van de gelovigen. Ook al kost dat tijd, en gaan deze aanpassing en modernisering soms met grote spanningen gepaard, statisch is de islam op langere termijn allerminst.

Deze wetenschap speelde echter geen enkele rol – en men wilde er ook niets van weten. Zoals er in dat vreemde soepje van nieuwe ideologieën een gefingeerd Nederland werd gebrouwen, zo ontstond er in bepaalde kringen ook een verzonnen constructie van de islam. Voortdurend werd de suggestie gewekt dat, bijvoorbeeld, vrouwenbesnijdenis een gruwelijk islamitisch gebruik is, terwijl het in werkelijkheid een regionale gewoonte is. Voortdurend werden onmenselijke stamtradities van de Somalische islam besproken alsof het ging om praktijken van alle moslims. Voortdurend werden uitwassen, zoals iedere wereldgodsdienst die kent, beschouwd als 'de levensgevaarlijke kern' van de islam. Voortdurend werd gesuggereerd dat de zelfmoordaanslag een onderdeel vormt van de islamitische traditie, terwijl de islam – een paar minuscule sektes daargelaten – juist nooit een doodscultus heeft gekend. Hier begon een propagandaslag tussen godsdiensten.

VI

Ik las dat najaar de Nederlandse kranten vaak half
weggekeken, zoals je obsceniteiten wegleest, woorden en beelden die je eigenlijk niet tot je wilt laten
doordringen. Toen Victor Klemperer de nieuwe taal
voor het eerst in zijn dagboek noteerde, had hij,
schreef hij, alleen maar vage vermoedens. Ze leken
hem voortgesproten uit de wilde fantasie van labiele
mensen, uit de leegte van die tijd. 'Ik hield het toenter-
tijd nog voor onmogelijk dat die mentaliteit ooit in da-
den zou worden omgezet, dat "geweten, berouw en
moraal" van een heel leger, van een heel volk, echt
ooit uitgeschakeld zouden kunnen worden.'

De geschiedenis herhaalt zich nooit. Wat we wel weten, uit onze bittere ervaringen als Europeanen, is dat
zulke radicaliseringsprocessen alle kanten op kunnen
vliegen. De verachting voor het 'zachte' parlement,
voor de intellectuelen 'die het volk niet kennen', voor
het recht en de ratio; de leiders die hun volgelingen een
nieuwe saamhorigheid beloven en een bevrijding uit
hun angsten; de gevestigde partijen die in hun zwijgen

en hun opportunisme het vacuüm scheppen waarin dit soort bewegingen zich kunnen nestelen: we hebben het allemaal eerder gezien. Wat hier en daar losjes geroepen wordt, wat een enkele columnist opschrijft, kan ineens werkelijkheid worden, keurig regeringsbeleid, verpakt in nette nota's en beschaafde troonredes. Nog in 1930 werd Hitler door de meeste Duitsers beschouwd als een pijnlijke figuur uit een grauw verleden, een stuitend type met 'die valse chic', dat 'dialect uit een voorstad van Wenen', die 'bewegingen van de epilepticus', dat 'kapsel van een souteneur' (ik citeer een tijdgenoot). Niemand, werkelijk niemand had op dat moment enig idee van de geest die een paar jaar later uit dat potje van warrigheden zou vliegen.

'Fascisme kan worden gedefinieerd als een vorm van politiek gedrag, die gekenmerkt wordt door een obsessieve preoccupatie met het verval van de gemeenschap, vernedering en slachtofferschap,' schrijft de Amerikaanse historicus Robert Paxton aan het slot van zijn standaardwerk over de anatomie van het fascisme. Als antwoord daarop wordt een cultuur gepropageerd van 'eenheid, energie en puurheid'. De aanhangers van de beweging streven – niet zelden in een ongemakkelijke samenwerking met traditionele elites – naar het loslaten van democratische vrijheden. Zonder ethische en wettelijke remmingen en vaak ook met geweld strijden ze voor 'interne zuivering en externe expansie', aldus Paxton.

Het interessante is dat deze omschrijving naadloos past op zowel de radicale islam als op de Europese extreem-rechtse bewegingen. Ook bij de felle islamisten draait het, in de kern, voortdurend om slachtofferschap. Ook in de theorieën van de radicale ideoloog Sayyid Qutb staat de zuiverheid van het geloof centraal. Van daaruit moet een broederschap groeien van moslims over de hele wereld, die leven volgens de goddelijke wetten van de sharia. Er is, in zijn visie, in deze tijden sprake van een permanente heilige oorlog tussen de goddelijke wereld van de islam en de wereld van de jahiliyya, de ongelovigen die net als dieren enkel hun lichamelijke behoeften volgen: 'Zij die de macht van God op aarde hebben overgenomen en Zijn gelovigen tot slaven hebben gemaakt, zullen niet slechts door middel van het woord worden verdreven.'

Paxtons definiëring is echter gebaseerd op het extremisme aan de andere zijde, op het brede scala van fascistische en rechts-nationale bewegingen uit de twintigste-eeuwse Europese geschiedenis. Onderling kenden zij grote verschillen – het 'joodse vraagstuk' stond bijvoorbeeld bij sommige groepen centraal, terwijl andere zich er volstrekt niet druk over maakten –, maar Paxton ontdekte wel een aantal gemeenschappelijke ontstaansgronden. Ik noem de voornaamste:

- een gevoel van een overweldigende crisis, waarvan de oplossing buiten het bereik van de traditionele middelen valt;

- het geloof dat de groep waartoe men behoort – familie, buurtschap, land, volk – een slachtoffer is, hetgeen iedere actie tegen 'de vijand' rechtvaardigt, zonder wettelijke of morele grenzen, intern en extern.
- de vrees voor onttakeling van de groep door de verderfelijke effecten van het individualistische liberalisme, de klassestrijd en invloeden vanuit den vreemde;
- de behoefte aan een onderling sterker verbonden en zuiverder gemeenschap, liefst vrijwillig, maar zonodig door uitsluiting en geweld;
- de behoefte aan gezag van natuurlijke leiders, en de superioriteit van de emoties van die leiders over abstracte en algemene rationaliteit;
- de cultus van geweld, hardheid en onverzettelijkheid.

Zat het erin dat dit alles zich in Nederland tot een extreem-nationalistische beweging zou uitkristalliseren? Sommigen, ook uit andere politieke richtingen, riepen erom. Zo zou tenminste weer politieke duidelijkheid ontstaan. Het rechts-nationalisme was gedurende de hele twintigste eeuw, naast de sociaal-democratie, het liberalisme en de christen-democratie, een van de belangrijke politieke hoofdstromen geweest in Europa, maar in Nederland had deze beweging nauwelijks wortel geschoten. Zelfs in de jaren dertig, toen

de nationaal-socialisten overal grote populariteit ge-
noten, trok deze beweging in Nederland maar een
fractie van het electoraat. Zoals eerder gezegd: het
land kende nauwelijks of geen traditie van politiek geweld. En het rabiate anti-semitisme, dat elders in Europa een zekere weerklank vond, stond zo ver van de
Nederlandse burgermentaliteit dat de leider van de
Nederlandse nationaal-socialisten de desbetreffende
passages voor zijn eerste programma niet eens van de
Duitse nazi's overnam.

In Frankrijk, Oostenrijk, Italië, Spanje, overal bestaat een lange nationalistische en radicaal-rechtse traditie, met beproefde denkbeelden en organisatievor-
men waar nieuwe leiders op terug kunnen vallen. Ook
België kent al vele decennia een extreem-nationalistische beweging met een geschiedenis die teruggaat tot
de soldatenbewegingen tijdens de Eerste Wereldoorlog. In Nederland wilde bijna niemand daar iets van weten, ook omdat het 'volksnationalisme' dat de Vlamin-
gen beleden, nauwelijks aanhang had. Geen mens
drong hier aan op aansluiting met Vlaanderen omdat
daar ook leden wonen van de 'Nederlandse stam'. Deze
manier van denken was de Nederlanders volstrekt
vreemd, uitgezonderd misschien een handvol Friezen.
Als ons nationalisme al ergens op leek, was het eerder
een staatsnationalisme, zoals in Frankrijk. Of, als je de
opvattingen van de nieuw ontluikende nationalisten
volgde, misschien zelfs een religieus nationalisme.

De Nederlandse rechts-nationalen moesten dus alles vanaf de grond opbouwen. Een niet onbelangrijk deel van het electoraat overwoog op hen te stemmen, maar er waren vrijwel geen kaderleden om de kamerzetels te bezetten. De beweging moest een eigen visie en een eigen ideologie nog helemaal ontwikkelen. Daarbij was de aanzet van een splitsing tussen 'radicale' intellectuelen en 'gewone' populisten al waarneembaar, een klassieke scheiding van geesten binnen extreem-rechts, zoals die zich bijvoorbeeld ook in het Frankrijk van de jaren dertig had voorgedaan.

Het was een opvallende ontwikkeling, zeker in een geseculariseerd land als Nederland. Het was dan ook heel goed mogelijk dat dit nieuwe nationalisme slechts een 'politiek correcte' vertaling was van dieper liggende onlustgevoelens, die wel degelijk bepaald werden door 'vreemd' en 'ras'. Een indicatie daarvoor was de gedenkwaardige bijeenkomst die in december 2004 plaatsvond in de Rotterdamse Erasmus Universiteit, en waarvan fragmenten door de publieke televisie werden uitgezonden. Opeens werd daar, met een groepje medestanders, de charismatische leider van de Vlaamse ultra-nationalisten als een waardige discussiepartner binnengehaald. Hij sprak, onder veel bijval van een aantal Nederlandse intellectuelen, over de 'leidcultuur' die aan 'de' moslims moest worden 'opgelegd' en prees 'de goede evolutie' van het debat in Nederland. Diezelfde voorman verspreidde in het verleden onder andere memoires van de Belgische nazi-leider Léon Degrelle en boeken van de Duitse nazi-ideoloog Alfred Rosenberg, wiens werk Victor Klemperer analyseerde voor zijn *LTI*.

Het was in meerdere opzichten een historisch moment. Allereerst omdat deze Vlaamse extremisten nooit eerder zo serieus, met zoveel aandacht en door zulke belangrijke gesprekgenoten in Nederland waren ontvangen. Nooit waren ze hier verder gekomen dan de marge van rechtse splintergroepjes. Nu waren ze opeens, zoals de Duitsers dat noemen, salonfähig. In de tweede plaats werd met deze bijeenkomst voor het eerst openlijk en direct een verbinding gelegd tussen de opkomende nationalistische groepen in Nederland en het ultra-rechtse en nationaal-socialistische erfgoed van de rest van Europa.

Ik moet nog terugkomen op een ander element uit de studie van Robert Paxton: de leemtes in het bestaande politieke systeem. In zijn beschrijvingen, land na land, keert telkens één situatie terug: een enigszins conservatieve partij begint haar traditionele achterban te verliezen, sluit een coalitie met de rechts-radicalen in opkomst om haar positie te behouden, geeft in dat proces steeds meer gezag aan hun opvattingen, en brengt ze ten slotte tot regeringsverantwoordelijkheid. Niet de kracht van een rechts-radicale beweging is uiteindelijk doorslaggevend voor het aan de macht komen van zo'n gezelschap, maar de crisisstemming binnen een of meer traditionele partijen.

Kort na de eeuwwisseling begon een dergelijk scenario zich af te spelen rond de Nederlandse liberale partij. In snel tempo verhardden de standpunten van deze vanouds liberaal-burgerlijke groepering, en omdat de partij een van de belangrijkste coalitiepartners was, had deze verschuiving naar een populistisch soort neopatriottisme ook effecten op het Nederlandse regeringsbeleid.

Het begon met het vluchtelingenbeleid. Dat was volstrekt vastgelopen, tienduizenden asielzoekers zaten jarenlang vast in asielzoekerscentra, mensensmokkelaars maakten misbruik van de mazen in de wet, en vluchtelingen die werkelijk risico's liepen, werden maar al te gemakkelijk weer uitgewezen. Een fatsoenlijke en verstandige maatregel – zelfs de rechts-populisten pleitten ervoor – lag voor de hand: geef de paar duizend vluchtelingen die hier al lange tijd verblijven een 'generaal pardon' en begin met een schone lei. De liberalen blokkeerden dit idee: over de hele wereld moest de boodschap doorklinken dat het open Nederland voortaan op slot zou gaan.

Het was voornamelijk symbolisch beleid – geen achterstandswijk werd er beter van, geen school minder problematisch –, maar het was tekenend voor de mentaliteitsverandering. In de jaren tachtig en negentig had het immigratiebeleid, voor zover dat gevoerd werd, vooral gedraaid om de praktijk, om het vinden van werk, behuizing en een eigen plek onder de Nederlandse zon. Vanaf de eeuwwisseling stond steeds meer de moraliteit voorop, de ideologie, het behoud van de Nederlandse eigenheid.

Het was een beleid dat voortdurend uitging van ficties, van een vervorming van de werkelijkheid tot juridisch en bestuurlijk gemakkelijk hanteerbare modellen, een droomwereld waarin Afghanistan allang weer een veilig oord was, waarin dissidente dichters onder Saddam Hoessein niets te vrezen hadden en Tsjetsjeense instanties visa's en paspoorten afgaven als het gemeentehuis van Heerenveen. Ook de asielzoekers, om wie het allemaal draaide, werden in de loop van dit proces steeds meer fictionele mensen, figuren die voornamelijk naar Nederland trokken vanwege het gewin en de bijstand, pseudo-immigranten die ons emotioneel onder druk zetten met zielige verhalen en kleine – 'eigen keuze' – kindertjes. En die fictionalisering verliep des te gemakkelijker omdat vrijwel niemand deze ontheemden in de ogen hoefde te kijken, geïsoleerd als ze waren in hun speciale centra. De Nederlanders konden zo op een koopje 'de rug recht houden', 'de klus afronden' en 'consequenties trekken'.

Iets soortgelijks gebeurde ten aanzien van andere categorieën immigranten. Vanaf de jaren zestig was hierin, ondanks alle verschillen, één grote constante zichtbaar: ontkenning van de feitelijke situatie. In de

jaren zestig en zeventig wierf Nederland in achterge-
bleven Turkse en Marokkaanse dorpen massaal zogeheten gastarbeiders, zonder te beseffen dat hiermee
een zeer gecompliceerde immigratiebeweging in
gang werd gezet. In de jaren tachtig en negentig bleef
de regering ontkennen dat veel van deze immigratie
inmiddels een permanent karakter had gekregen – de
problemen die mede hierdoor ontstonden zijn overbe-
kend. Na de eeuwwisseling probeerden veel politici
opnieuw de vraagstukken van gisteren op te lossen
met de politiek van eergisteren: ze weigerden onder
ogen te zien dat het land blijvend geconfronteerd zou
worden met migratie in alle vormen en gedaanten, le-
gaal en illegaal, verrijkend en problematisch, omdat
dit verschijnsel nu eenmaal onvermijdelijk hoort bij
iedere metropool in de moderne, ongelijke wereld.

Eén klein incident, ook in het najaar van 2004, was
tekenend voor de nieuwe wind die was opgestoken.
Toen een imam weigerde de hand te drukken van de
minister voor Vreemdelingenzaken en Integratie –
supervrome moslims hebben daar net als orthodoxe
joden en de aanhangers van een paar andere wereld-
godsdiensten nu eenmaal moeite mee – maakte ze daar
voor de televisiecamera's een kleine demonstratie van:
secondenlang bleef ze met haar lege, uitgestoken hand
staan. De bewindsvrouw gedroeg zich op dat moment
niet meer als minister voor integratie, waarbij uitge-
gaan wordt van een wederzijdse aanpassing, maar van

assimilatie, een bijna onvoorwaardelijke overgave aan de Nederlandse cultuur. Het handdrukincident markeerde daarmee een fundamentele koerswending van het Nederlandse beleid: wie komt, dient alles achter zich te laten. Je bent Nederlander of niet.

In de fictionele wereld van sommige beleidsmakers kon deze politiek misschien succesvol zijn, in het echte bestaan was de nieuwe assimilatiepolitiek volstrekt improductief. Wat was immers de succesformule van de Amerikaanse 'meltingpot'? Dat iedere immigrant vrij was om tot op grote hoogte zichzelf te blijven, zo zijn zelfrespect en zijn identiteit behield, en juist vanuit die zekerheden met groot enthousiasme deelnam aan het gezamenlijke Amerikaanse experiment. In het negentiende-eeuwse Amsterdam werd jarenlang, met instemming van de geestelijk leiders, een bewuste integratiepolitiek gevoerd ten aanzien van de verarmde joodse gettobevolking. Joodse scholen werden gesubsidieerd op voorwaarde dat het Jiddisch als voertaal werd vervangen door het Nederlands, joodse gezinnen werden gestimuleerd om hun kinderen naar gewone openbare scholen te sturen, joodse werknemers leerden stukje bij beetje de 'gewone' arbeidsmarkt kennen. Waarom was dat initiatief zo'n groot succes? Omdat deze joden bij de rest van de stad getrokken werden zonder dat ze daarbij hun godsdienst of hun identiteit hoefden in te leveren.

Anderhalve eeuw later dreigde het tegendeel te gebeuren. De nieuwe assimilatiepolitiek had als neven-effect dat steeds meer leden van etnische groepen zich als tweederangsburgers begonnen te beschouwen – zo werden ze immers ook door de heersende elites behandeld. Als de daarbij behorende vernederingen zouden aanhouden, zou daaruit een werkelijk explosief mengsel kunnen ontstaan. Terecht zei een van de immigratiespecialisten tijdens het eerder vermelde discussiecollege: 'Het grootste probleem zou wel eens kunnen zijn dat het ideaal van de multiculturele samenleving in Nederland niet te veel is gepropageerd, maar te weinig.'

En al die gefictionaliseerde moslims, wat voelden ze uiteindelijk zelf? De schrijver en wetenschapper Fouad Laroui drukte het kernachtig uit: een moslim is in het Nederland van vandaag allereerst dat wat de niet-moslim van hem maakt. In een opiniestuk in *de Volkskrant* beschreef hij nauwkeurig zijn ervaringen, die winter. Als zijn collega's hem vroegen wat hij 'als moslim' van iets dacht, antwoordde hij steevast: 'Ik denk niet als moslim, ik denk als individu, ik denk als mijzelf.' Hij ergerde zich groen en geel aan het woord 'imam', dat hij de hele dag hoorde, 'alsof achter elke "moslim" – die eigenlijk niets meer is dan een soort pop – één van die onheilbrengende baard-barbaren in een djellaba schuilgaat – de *imam*! – om aan de touwtjes te trekken.' (In werkelijkheid speelde die figuur in zijn hele leven nauwelijks een rol, het was in Marokko de man die op vrijdag het gebed leidde, de rest van de tijd was hij kleermaker of schoenmaker of zelfs werkloos.) Wat Laroui eind 2004 ook trof, was de aanhef 'salam', waarmee steeds meer studenten hun e-mails aan hem begonnen. Hij nam waar hoe dat knappe, moderne, Amsterdamse meisje dat hij jarenlang nooit anders dan in spijkerbroek zag nu opeens een hoofddoek begon te dragen. Hij voelde hoe veel 'moslims' en 'moslima's', soms onbewust, besloten om het spel dan maar mee te spelen: nou, dan doe ik dat niet alleen, maar dan ben ik er nog trots op ook.

Het was opvallend: precies dezelfde observaties kwam je tegen in de dagboeken en manuscripten van Victor Klemperer en andere joodse vervolgden in de jaren dertig. Hun integratie, hun moeizame en jarenlange losmakingsproces van hun oude religieuze achtergrond, het werd tot hun grote schok volstrekt genegeerd en ontkend. Het scheppen van een 'joods vraagstuk' door de nationaal-socialisten leidde zo, paradoxaal genoeg, aan de joodse kant tot een nieuwe gemeenschappelijke identiteit tegen wil en dank. De latere Amsterdamse historicus Ben Sijes schreef bitter dat hij opeens 'met alle joden op één hoop werd gegooid', met wie hij grondige verschillen had, 'zowel politiek in engeren zin als levensbeschouwelijk in het algemeen'. Fouad Laroui drukte zich zestig jaar later minder plechtig uit, maar het ging om hetzelfde: ineens had hij het gevoel in een geschiedenisboekje over racisme terecht te zijn gekomen, 'en dat is een verschrikkelijke achteruitgang als je dertig jaar lang dacht een persoon te zijn, een individu'.

Ik vroeg Sasja of het met de Nederlanders net zo zou kunnen gaan als met de Serviërs in 1989. Hij aarzelde. 'Nee,' zei hij daarna beslist. 'Ik geloof in dit land.' Hij had het over de lange, diepe traditie van immigratie en verdraagzaamheid, over de vele tegengeluiden die je ook in de media hoorde, dat bestond daar in Servië allemaal niet. Maar de Nederlanders moesten volgens hem wel uitkijken: 'Het probleem is de vanzelfsprekendheid van al die deugden en vrijheden. Je denkt er niet meer bij na, je gaat er even gemakkelijk mee om als met water uit de kraan. Voor ons was de eenheid van Joegoslavië na al die jaren precies zo'n eeuwige vanzelfsprekendheid. En toch was het binnen drie jaar afgelopen.'

VII

Dit is een brief in een fles, zonder doel in de toekomst geslingerd, en waar hij belandt mag de hemel weten. De ideologen, de fanatici en de handelaren in angst hadden in 2004 een topjaar. Ze joegen het vuur aan in het Midden-Oosten, in de Verenigde Staten en zelfs in het kleine Nederland. We werden hier geconfronteerd met een venijnig mengsel van politieke kwesties: een voortslepend probleem rond de integratie van bepaalde moslimgroepen, een onderhuidse identiteitscrisis van de Nederlanders, een schokkende moord die deze vraagstukken in een radicaal-religieus perspectief plaatst, een opkomende rechts-nationalistische beweging die de aanslag als alibi gebruikt om de eigen agenda versneld door te drukken.

Deze almaar doorgaande radicalisering moet worden gestuit, willen we ons niet blijvend verliezen in ficties, valse emoties, discriminatie en regelrechte vijandschap. Maar hoe?

Allereerst is daar de angst. Angst is een logische reactie op een reëel gevaar, zeker als we dat gevaar niet of nauwelijks kennen. Maar angst kan ook worden losgekoppeld van het werkelijke probleem. Angstgevoelens kunnen worden opgeklopt tot een permanente geesteshouding, die vervolgens voor politieke doeleinden kan worden geëxploiteerd. Dit alles kan gemakkelijk leiden tot een selffulfilling prophecy: de angst voorkomt niet de situatie waarvoor men bang is, maar schept die juist. In de historie liggen de voorbeelden voor het oprapen.

Want wat zijn de feiten? Door oorlogen, klimaatsveranderingen, hongersnoden, politiek en religieus fanatisme zullen de komende decennia in de wereld vermoedelijk grote, nieuwe groepen op drift raken, vele miljoenen migranten. Tegelijkertijd zal de bevolkingsgroei van Europa ernstig stagneren. Op dit moment schommelt de gemiddelde leeftijd in zowel Europa als de Verenigde Staten rond de 36, 37 jaar. In het jaar 2050 zal die, mede dankzij tientallen miljoenen immigranten, in de Verenigde Staten nog altijd 35 jaar zijn. In Europa zal in 2050 de gemiddelde leeftijd, bij ongewijzigd beleid, zijn gestegen tot 53 jaar.

Dat zal enorme consequenties hebben voor de vitaliteit van het continent; ook in rapporten van de Europese Unie wordt daar steeds meer op gewezen. In 1950 waren er, volgens cijfers van de Verenigde Naties, voor iedere gepensioneerde Europeaan zeven anderen die het werk deden. Op dit moment is dat één op vier. In 2050 zal de verhouding één op twee zijn, en zelfs nog minder. Een pensioenleeftijd van 65, zelfs 70 jaar kan het toekomstige Europa zich dan niet of nauwelijks meer veroorloven. In ieder gunstig toekomstscenario van Nederland spelen migranten dan ook een rol.

Het probleem is, kortom, niet meer óf immigratie moet worden toegestaan – die is er en die blijft er – maar hoe we daarmee omgaan, en hoe we een balans vinden tussen deze noodzakelijke instroom van buitenaf en de verworvenheden van onze eigen samenleving. En dat niet alleen omwille van deze nieuwkomers, maar net zo goed omwille van het behoud van een dynamisch Nederland en Europa.

Op die nieuwe wereld moeten wij ons en onze kinderen voorbereiden, we hebben daarin geen keuze. Het sleutelbegrip is daarbij de zogeheten interculturele competentie, het vermogen om iemand van een andersoortige afkomst te herkennen en zijn woorden en handelingen enigszins te begrijpen. Dit betekent absoluut niet dat je het onderling eens bent. Het gaat erom dat je genoeg van de ander weet om een gesprek te hebben, een manier van omgang te vinden, een compromis te sluiten. Die interculturele competentie was in dit land altijd behoorlijk groot. Dat was niet 'slap' of 'laf', het was onze hoop en onze kracht.

In deze maanden dreigt die levenshouding overschaduwd te worden door een nieuwe mode: de confrontatie. Bij sommigen heerst op dit moment een sterke neiging om de muren rondom het geestelijke fort

Nederland zo hoog mogelijk op te trekken. Ons land zal zich daardoor steeds meer afsluiten van de culturele dynamiek – slecht en goed – in de rest van Europa en de wereld. Zo kunnen zelfs wij, nuchtere Nederlanders, terechtkomen in een gesloten, xenofobe fantasiewereld waarin onze hufterigheid en onze onkunde over heden en verleden als norm worden gesteld, waarin degenen die niet in de angstpsychose meehollen als 'slappelingen' en 'verraders' worden aangeduid, en waarin discriminatie en racisme tot nieuwe grondwaarden worden verheven. Daaronder liggen dan de scherven van de jaren zestig: een verloren zelfvertrouwen, een idealisme dat is omgeslagen in cynisme.

Karen Armstrong, een van de grote denkers over de verhouding tussen islam en moderniteit, beschrijft dit proces als een paradigmaverschuiving van de *logos*, de rede, met haar altijd nieuwsgierige, toekomstgerichte oriëntatie, naar de *mythos*, een magische, emotionele manier van denken die bovenal naar binnen is gericht, en die vooral in het verleden een richtsnoer zoekt voor deze verwarrende wereld. Dat gebeurt bij christenen en moslims, maar ook bij ons, kinderen van de Verlichting. Ook hier kan overtuiging omslaan in fundamentalisme.

Wie Nederland wil omvormen tot een culturele vesting, reduceert de ingewikkelde tijd waarin we leven tot één grote binnenlandse angstfantasie. Het is een manier van denken die demagogen en sommige politici goed uitkomt, maar die langs de werkelijke problemen heen schiet. Wij, in onze moderne west-hoek van Europa, zullen bij onszelf te rade moeten gaan over allerlei vaste waarheden. We zullen spijker-hard moeten zijn jegens degenen die onze gezamen-lijke fundamenten willen vernietigen, maar daarin moeten we precies en zorgvuldig opereren. We zullen onze rechtsstaat overeind moeten houden en onze medeburgers moeten verdedigen, niet in de laatste plaats de allerzwaksten: minderheden, allochtone vrouwen en kinderen. We zullen soms pijnlijke maat-regelen moeten accepteren, juist om belangrijke en zeldzame kwaliteiten te redden: onze pacificatie, met als nevenproduct onze befaamde tolerantie. We zullen de onverdraagzame islam moeten bestrijden, en tege-lijk de humanistische krachten binnen de islam moe-ten omarmen. En uiteindelijk zullen we naar de bron moeten: de ontworteling, de vernedering, de almaar toenemende woede van de niet-westerse wereld.

Dit is een groot Europees probleem. Wij, Nederlan-ders, kunnen ons het nationale navelstaren niet langer permitteren. De echte uitdagingen en gevaren van de eenentwintigste eeuw zijn daarvoor te groot.

Wij zijn gedoemd tot kwetsbaarheid.

Enkele aangehaalde bronnen

Armstrong, Karen, *De strijd om God. Een geschiedenis van het fundamentalisme*, Amsterdam 2000.

Buruma, Ian, en Avishai Margalit, *Occidentalisme. Het Westen in de ogen van zijn vijanden*, Amsterdam 2004.

Ehrenreich, Barbara, *Fear of Falling. The Inner Life of the Middle Class*, New York 1985.

Hirsi Ali, Ayaan, *De maagdenkooi*, Amsterdam 2004.

Hirsi Ali, Ayaan, *Submission. De tekst, de reacties en de achtergronden*, Amsterdam 2004.

Huizinga, J., 'Nederlands geestesmerk', in: *De Nederlandse natie. Vijf opstellen*, Haarlem 1960.

Jacobs, Jane, *Dark Age Ahead*, New York 2004.

Kennedy, James, *Nieuw Babylon in aanbouw. Nederland in de jaren zestig*, Amsterdam 1995.

Kennedy, James, 'Nederland kent zijn burgers niet', interview door Hubert Smeets, in: *De Groene Amsterdammer*, 17 december 2004

Klemperer, Victor, *LTI. De taal van het Derde Rijk*, Amsterdam 2000.

Laroui, Faouad, 'Ik eis mijzelf terug', in: *de Volkskrant,*
    15 januari 2005.

Paxton, Robert, *The Anatomy of Fascism,* New York 2004.

Schoof, Rob en Michelle de Waart, 'De onzichtbare vijand.
    Hoe Europese geheime diensten worstelen met hun nieu-
    we rol', in: *NRC Handelsblad M-magazine,* januari 2005.

Sociaal en Cultureel Planbureau, *Moslims in Nederland.*
    Over de diversiteit en verandering in de religieuze oriëntatie
    van moslims in Nederland, Den Haag 2004.